Éditions Druide
1435, rue Saint-Alexandre, bureau 1040
Montréal (Québec) H3A 2G4

www.editionsdruide.com

RELIEFS

Collection dirigée par
Anne-Marie Villeneuve

LA COIFFEUSE DE DIEU

Catalogage avant publication de Bibliothèque et Archives nationales du Québec et Bibliothèque et Archives Canada

Fisher, Marc, 1953-
La coiffeuse de Dieu : roman. Précédé de, Là où tout devient possible
(Reliefs)

ISBN 978-2-89711-076-5
I. Michaud, Christine, 1970-   . Là où tout devient possible. II.
Titre. III. Titre : Là où tout devient possible.

PS8581.O24C64 2013   C843'.54   C2013-941538-6
PS9581.O24C64 2013

Direction littéraire : Anne-Marie Villeneuve
Édition : Luc Roberge et Anne-Marie Villeneuve
Révision linguistique : Diane Martin et Isabelle Chartrand-Delorme
Assistance à la révision linguistique : Antidote 8
Maquette intérieure : www.annetremblay.com
Mise en pages et versions numériques : Studio C1C4
Conception graphique de la couverture : Gianni Caccia
Photo de la couverture : Anna Subbotina/Shutterstock.com
Photographie de l'auteur : Adrienne Surprenant @ Zoombuzz Productions
Photographie de la préfacière : Francis Fontaine
Diffusion : Druide informatique
Relations de presse : Evelyn Mailhot

Les Éditions Druide remercient le Conseil des arts du Canada et la SODEC de leur soutien.

Gouvernement du Québec – Programme de crédit d'impôt pour l'édition de livres – Gestion SODEC.

ISBN papier : 978-2-89711-001-7
ISBN PDF : 978-2-89711-003-1
ISBN EPUB : 978-2-89711-002-4

Éditions Druide inc.
1435, rue Saint-Alexandre, bureau 1040
Montréal (Québec) H3A 2G4
Téléphone : 514-484-4998

Dépôt légal : 3ᵉ trimestre 2013
Bibliothèque nationale du Québec
Bibliothèque nationale du Canada

Imprimé au Canada

Marc Fisher

LA COIFFEUSE DE DIEU

roman

Précédé de
Là où tout devient possible
de Christine Michaud

Druide

LÀ OÙ TOUT DEVIENT POSSIBLE

Ma vie sauvée !
Je me souviendrai toujours de la première fois où j'ai lu cette histoire. Elle était à l'état de manuscrit et j'ai ressenti un immense sentiment de gratitude face à Marc Fisher. J'étais si heureuse qu'il ait eu l'audace de l'écrire. Mais il y avait plus que cela… Et au départ, je me demandais si je parviendrais un jour à lui avouer la vérité…

Je travaillais alors dans un milieu plutôt fermé (disons-le ainsi) et je n'osais pas y exprimer à quel point la spiritualité faisait partie de ma vie. Au fil des ans et des contrats, je m'étais bâti une belle petite prison dorée… J'acceptais de contenir mon désir de parler ouvertement des sujets qui me tenaient vraiment à cœur. Je n'osais pas révéler les secrets qui m'avaient permis de manifester une vie davantage à ma mesure, en relation avec mon âme. Je craignais alors d'être jugée et de perdre ma crédibilité. Mais n'est-il pas pire encore de se cacher et de n'être plus crédible à ses propres yeux parce que trop engluée dans une façon d'être qui ne nous convient pas ?

Puis, j'ai lu *La coiffeuse de Dieu* et Gabrielle, le personnage principal de cette histoire, est arrivée dans ma vie comme une aide inespérée. Comment parvenir à remercier un personnage de roman ? Je voudrais tant qu'elle sache à quel point elle a suscité une reconnexion en moi. C'est ce que je tente de faire en ce moment même en rédigeant cette longue préface pour son auteur. Et pour tout vous dire, c'est la deuxième fois que Marc Fisher (ou l'un de ses personnages) me « sauve la vie » en quelque sorte et je réalise présentement à quel point certaines personnes se retrouvent sur notre parcours comme des anges terrestres…

À l'âge de vingt-huit ans, j'ai fait une dépression majeure et malgré toute l'aide thérapeutique et médicale dont je bénéficiais, je peux affirmer sans l'ombre d'un doute que c'est Marc Fisher qui m'a permis de vivre mon épiphanie. Après avoir assisté à l'un de ses ateliers et à la suite de ma lecture de tous ses livres, j'ai enfin compris que je devais écouter ma petite voix, faire ce que j'aime et ainsi accomplir ma mission. Ce que j'ai fait, jusqu'à tant que je me laisse encore une fois manipuler, jusqu'à tant que j'accepte (inconsciemment au début) de devenir ce que je n'étais pas… toujours au prix de l'amour et de l'approbation tant recherchés. J'avais besoin d'être vue, appréciée, aimée… Un peu trop !

Et quatorze ans plus tard, alors que je m'enfonçais tranquillement dans un nouvel abîme, j'ai fait la connaissance de Gabrielle. J'ai tout d'abord eu du mal à comprendre l'émoi qu'elle suscitait en moi. Comment un personnage de roman pouvait-il me toucher à ce point ?

Puis, j'ai compris qu'il y avait une reconnaissance. Ce mot fabuleux qui signifie autant le fait de connaître à nouveau quelque chose, de retrouver, que d'en ressentir la gratitude. Ce fut un immense « kif », comme dirait Florence Servan-Schreiber. Un court moment intense de pur bonheur ! Pour vous dire la vérité, j'avais l'impression que Marc avait écrit mon histoire (à quelques différences près), celle que jamais je n'aurais osé raconter. Les détails différaient, mais la trame profonde de cette histoire était la mienne.

De la spiritualité…
Tout comme Gabrielle, je suis tombée dans l'eau bénite dès mon plus jeune âge. Je passais beaucoup de temps avec ma grand-mère

maternelle, qui m'enseignait tous les rouages de la spiritualité. Elle m'apprenait à prier et à aimer inconditionnellement. Elle m'enseignait l'émerveillement dans les petites choses, la gratitude et la contemplation. Avec elle, tout était source de miracle. Elle percevait la divine magie de la vie, et les moments passés en sa compagnie semblaient hors du temps, comme nimbés de poudre magique.

Je me souviens de toutes ces fois où elle m'emmenait à la messe avec elle. Je ne comprenais rien à ce que le prêtre disait. J'observais plutôt les gens autour et j'essayais de ressentir leur énergie. Je leur créais de belles histoires pour qu'ils soient heureux. C'était ma façon secrète de me prendre pour le prêtre et de bénir les gens. Puis, quelquefois, je demandais à Mamie si je pourrais un jour aller parler en avant, ce à quoi elle me répondait : « Et tu leur dirais quoi, Christine ? » J'avais le désir de leur parler d'amour. Ma réponse était toujours la même, simple en surface, mais profondément prémonitoire...

J'étais fascinée par tous les rituels religieux. J'admirais la Vierge Marie. Juste le fait de me retrouver devant l'une de ses statues me mettait dans un état de grâce indescriptible. J'adorais aussi apprendre à connaître les différents saints et leurs fabuleux pouvoirs. Saint François d'Assise et saint Antoine de Padoue sont rapidement devenus des amis imaginaires pour moi.

Puis, comme une suite logique, je suis allée à l'école chez les sœurs. Je me rappelle avoir eu peur lorsqu'elles nous disaient d'être attentives que le Seigneur pourrait nous appeler. J'étais convaincue qu'Il le ferait. J'étais déjà très spirituelle pour mon jeune âge, mais je voulais une vie plus standard. Je désirais vivre mon idéal amoureux, avoir une maison au bord de l'eau, des animaux et un travail passionnant, entre autres...

C'est à cette époque que j'ai reçu un premier enseignement spirituel qui a changé ma vie. Une religieuse m'avait appris à demander en toutes situations, pour obtenir une réponse juste ou une guidance : «Que ferait l'amour?» L'amour était pour elle le sentiment le plus pur et le plus puissant qui soit. Encore aujourd'hui, parmi toutes les prières que je conserve dans ma boîte aux trésors, j'affectionne particulièrement celle de sainte Thérèse que l'on retrouve dans la Première épître de saint Paul Apôtre aux Corinthiens (1Co 13, 1-13) :

J'aurais beau parler toutes les langues de la terre et du ciel, si je n'ai pas la charité, s'il me manque l'amour, je ne suis qu'un cuivre qui résonne, une cymbale retentissante. J'aurais beau être prophète, avoir toute la science des mystères et toute la connaissance de Dieu, et toute la foi jusqu'à transporter les montagnes, s'il me manque l'amour, je ne suis rien. J'aurais beau distribuer toute ma fortune aux affamés, j'aurais beau me faire brûler vif, s'il me manque l'amour, cela ne me sert à rien.

L'amour prend patience ; l'amour rend service ; l'amour ne jalouse pas ; il ne se vante pas, ne se gonfle pas d'orgueil ; il ne fait rien de malhonnête ; il ne cherche pas son intérêt ; il ne s'emporte pas ; il n'entretient pas de rancune ; il ne se réjouit pas de ce qui est mal, mais il trouve sa joie dans ce qui est vrai ; il supporte tout, il fait confiance en tout, il espère tout, il endure tout. L'amour ne passera jamais.

Et l'amour m'a tranquillement accompagnée jusqu'à cette rencontre avec Gabrielle, jusqu'à cette véritable reconnaissance de qui je suis. Tout d'un coup, c'est comme si on avait allumé la lumière.

Chaque fois que nous nous branchons sur l'amour, dans le total moment présent et la pure compassion, nous devenons magnétiques et notre pouvoir de manifestation se décuple. À preuve, toutes ces fois où j'ai réalisé des rêves qui paraissaient impossibles pour plusieurs. Cette phrase de l'écrivain américain Richard Bach m'avait assurément programmée : «Si vous pouvez formuler un souhait, c'est que vous avez aussi la capacité de le réaliser.» C'est à ce moment que j'ai compris qu'un rêve n'était pas fait pour être jugé, mais pour être réalisé. Et que l'amour était l'ingrédient secret permettant de le concrétiser !

La pensée crée...

À l'époque où je me sortais des affres de la dépression, je dévorais tous les livres de développement personnel dans lesquels on parlait de mission de vie ou de loi de l'attraction. Avec le temps et les enseignements spirituels reçus, j'ai développé ma propre conception de ces sujets.

J'ai appris entre autres que la pensée crée un sentiment qui attire à lui ce qui vibre au même niveau. Évidemment, il est alors tentant de croire que nous pouvons attirer la réalisation de tous nos désirs simplement par la force de notre volonté, mais je perçois les choses autrement. Et si, à l'instar de Gabrielle, nous étions plus « médiums » et intuitifs qu'on ne le croit ? Peut-être que les vrais désirs du cœur existent parce qu'ils font partie de nos possibilités... Et si le véritable chemin vers leur réalisation consistait à ressentir ce qui veut nous arriver de bon et permettre que cela se produise ? Je suis convaincue que Gabrielle adhérerait à cette façon de penser !

La coiffeuse de Dieu est passée maître dans cet art de permettre. Elle a compris que notre outil de manifestation le plus puissant réside dans le ressenti. Et cette capacité à ressentir semble être amplifiée lorsque nous développons une certaine forme de spiritualité.

Je crois que nous arrivons à une époque où tout se transforme plus rapidement en raison du nombre grandissant de gens s'ouvrant au domaine de la spiritualité. Nous sommes en train de créer un monde de paix et d'amour en renforçant ce lien avec notre source, Dieu ou ce monde invisible qui nous englobe et nous supporte. Nous revenons à l'essentiel, à cette reconnexion avec la partie divine en chacun de nous. J'ai l'impression que nous serons agréablement surpris des résultats qui en découleront.

Puisque tout est énergie et que nous sommes issus de la divine matrice, nous avons la possibilité d'effectuer des choix qui nous permettront de co-créer notre vie de la manière la plus satisfaisante et amusante qui soit. Et puisque Marc me l'a demandé, je me permettrai dans les lignes qui suivent (et ce, pour la première fois !) de partager avec vous quelques-unes de mes meilleures astuces pour réaliser mes rêves.

À la base, quelques outils…
D'abord, avant de me mettre en route vers la réalisation de mes rêves, je me suis choisi un «conseil suprême». J'ai pris pour compagnons de voyage virtuels la Vierge Marie, l'archange Anaël, saint François d'Assise et l'un de mes guides nommé Juliette (qui, comme par hasard, a également pris la forme d'un personnage dans l'histoire de Marc…). Grâce à leur présence, je me sens plus forte et divinement accompagnée.

Enfin, pour m'assurer de vivre une vie de gratitude et de service comme me l'ont si bien enseigné les religieuses, je fais chaque soir une courte prière dans laquelle je demande à Dieu de m'utiliser, de me permettre de servir dans la joie. Nous avons tous des talents et des qualités qui nous démarquent, alors autant que cela serve ! Et parfois Dieu nous utilisera simplement pour faire le bien dans des moments où nous doutons de nous-mêmes ou nous apitoyons sur notre sort.

Forte de tout ce bagage, je poursuis ma route en m'amusant à visualiser mes désirs et en me mettant en action pour les voir se concrétiser. Et voici comment je fais mes demandes à l'univers ou plutôt mes meilleures astuces pour apprendre à recevoir de façon divine !

Constamment, je fais l'exercice d'ouvrir mon esprit pour recevoir, en ce sens que je refuse de vivre selon la «norme».

Au lieu de me contenter de ce qui est ou de me limiter à cela (la réalité), je m'amuse à imaginer ce qui pourrait être (les possibilités). Combien de fois avons-nous eu un désir particulier et des gens nous ont donné une multitude de raisons pour nous prouver que cela ne serait pas possible? Ces gens peuvent bien nous dire tout ce qu'ils voudront, nous avons le choix de les croire ou non.

D'ailleurs, je me suis toujours demandé pourquoi tant de personnes étaient si rapides et enclines à nous décourager ainsi. Est-ce que, inconsciemment, elles ne préféreraient pas que nous restions «dans la boîte»? Il peut s'avérer dérangeant de voir quelqu'un d'autre réaliser des choses vraiment extraordinaires parce que ça nous met face à notre propre puissance. C'est la preuve que nous pouvons peut-être le faire aussi. Mais si nous avons choisi de jouer petit et de ne pas utiliser cette divine capacité de manifestation, une forme de culpabilité peut s'installer… Surtout si nous avons choisi de demeurer dans un malheur devenu confortable plutôt que de nous lancer dans l'inconfort d'une nouvelle aventure qui nous permettra de grandir. Comme tout est en mouvement dans l'univers, ne vaut-il pas mieux bouger aussi? J'ai toujours aimé le changement et je sais aujourd'hui qu'il s'agit là d'un atout dans la réalisation de mes rêves.

Une question de vibration

Dans ce processus, j'ai compris assez tôt aussi que pour attirer, il me fallait d'abord vibrer. J'avais seize ans la première fois que j'ai vraiment vibré pour un objet de désir. Je fréquentais un collège privé où la plupart des jeunes filles venaient de familles aisées, ce qui n'était pas mon cas. J'y étais grâce à de nombreux sacrifices de la part de mes parents. J'étais fascinée par le style de vie de certaines de mes camarades. Elles vivaient dans de belles grandes maisons, portaient des vêtements griffés et se baladaient dans les voitures de luxe de leurs parents. En constatant cet écart entre leur vie et la mienne, je me suis demandé non pas pourquoi je ne profitais pas de ce style de vie, mais plutôt comment je pourrais y accéder un jour. Alors, j'ai commencé par jeter mon dévolu sur un sac Gucci (eh oui… il y a un commencement à tout et je crois que l'évolution spirituelle passe parfois par le matériel!). Vous auriez dû voir la tête de mon père le jour où il m'a accompagnée pour acheter ce sac! Il était découragé par le nombre de billets, patiemment économisés, déposés sur le comptoir au moment de passer à la caisse. Aujourd'hui, je sais que ce petit sac griffé (que j'ai conservé précieusement) a été pour moi un ancrage, une preuve tangible de mon pouvoir de manifestation.

De *La puissance de votre subconscient* du Dr Joseph Murphy, ma première lecture en croissance personnelle, jusqu'à *La vie des Maîtres* de Baird T. Spalding, ma fascination pour tout ce qui touche le pouvoir de manifestation n'a cessé de croître. Les livres de Marc sont entrés dans cette catégorie, mais en plus ils m'offraient des histoires qui devenaient pour moi des exemples concrets de la puissance de ces principes. On aurait dit que les morceaux du puzzle prenaient place… Mon attirance pour le monde spirituel était reliée à celle pour les pouvoirs inconnus de l'homme.

C'est ainsi que j'ai poursuivi ma quête ou ce «jeu», devrais-je dire… Après mon épisode de dépression et deux années de thérapie et de lectures inspirantes, j'ai ressenti l'appel du domaine des communications. J'avais travaillé comme recherchiste pour une émission animée par Louise Deschâtelets et le monde de la télé m'avait beaucoup fait vibrer. Afin de me permettre de m'imaginer intégrée à ce monde, je me suis fabriqué un montage photo avec mon visage collé sur l'image d'un écran de télévision. Chaque jour en regardant cette photo, je pouvais ressentir la joie de cette visualisation prenant forme dans la réalité. Vous connaissez évidemment la suite de cette histoire qui, par une série d'actions inspirées et de délicieuses synchronicités, m'a menée tout droit dans votre écran de télévision!

D'autres exemples?
Il y a quelques années, je travaillais trop (ce qui m'arrive encore!) et je vibrais très fortement à de possibles vacances. J'avais quatre jours pour aller quelque part et j'avais arrêté mon choix sur Myrtle Beach dans le but d'y jouer au golf. Mon amoureux de l'époque trouvait cette idée complètement farfelue. Ces quatre petites journées étaient trop peu pour lui. Ça n'en valait pas le coup (et le coût!). «Imagine s'il pleut pendant quatre jours», me dit-il. Évidemment, je ne me laissai pas décourager par cette supposition. Au contraire, pour amplifier mon ressenti, je mis une petite astuce en marche…

Nous étions en janvier et il faisait très froid à Québec. J'eus une idée qui me permettrait d'éprouver fortement mon désir comme déjà réalisé (une puissante clé de manifestation!). Quand je vais en voyage dans les pays chauds, j'adore porter des sandales pour sentir le vent chaud sur mes orteils. Alors, chaque fois que je prenais place dans ma voiture, je mettais le chauffage à sa pleine puissance sur mes pieds et je m'imaginais qu'il s'agissait du vent chaud de Myrtle Beach sur mes orteils. Évidemment, le voyage ne tarda pas à se concrétiser et nous avons eu quatre magnifiques journées de plein soleil!

Une voiture qui prend vie!
Alors que je devais changer ma voiture en raison du contrat de location qui venait à terme, je décidai de reprendre le même modèle (que j'adorais!), mais d'une couleur différente. Je vibrais alors pour une voiture blanche. En fait, j'étais dans ma période pastel. Tout devait pâlir, s'assouplir et s'adoucir dans ma vie.

Quand je confirmai à la vendeuse mon désir de cette voiture en blanc, elle essaya de me convaincre d'en reprendre une noire, car, disait-elle, les blanches se faisaient plutôt rares. Elle en avait une noire toute prête pour moi, ce qui, toujours selon elle, était mieux que de perdre mon temps à attendre une blanche.

Qu'à cela ne tienne, j'avais décidé d'attendre! Je faisais confiance au processus d'attraction. Si je désirais cette voiture blanche, elle me désirait aussi! Tout étant interrelié, je savais que nous avions notre rendez-vous dans le temps. Alors je me mis à faire une chose qui pourra vous paraître vraiment bizarre... Je lui donnai vie dans mon esprit. Je l'imaginais m'imaginer! Je la voyais danser de bonheur en pensant que nous allions bientôt être réunies. Et cela se produisit quelques jours plus tard!

Je pourrais vous raconter une multitude d'histoires d'attraction, mais je conclurai avec une dernière, la plus récente.

Vivre au bord de l'eau...

Je rêvais de vivre au bord de l'eau, dans la nature. J'avais fait mon tableau de visualisation en conséquence. Plusieurs images me permettaient de ressentir le doux bonheur que j'aurais à vivre dans pareil endroit. Je m'amusais à admirer les maisons de campagne sur Internet. J'allais me promener près des lacs de ma région. J'en profitais pour marcher autour de ces lacs en pensant que les gens qui y vivaient ne devaient pas être si différents de moi après tout. Je pouvais opérer ce choix moi aussi.

De retour chez moi, je mettais un CD de la collection «Solitudes» intitulé *Lakeside Retreat*. Chaque fois, je me voyais littéralement vivre au bord de l'eau. Je ressentais la beauté et le calme des lieux dans chacune de mes cellules. Plusieurs objets de visualisation ont également contribué à cette manifestation. Je visionnais constamment le film *Quelque chose d'inattendu*. La maison dans les Hamptons qui y était présentée correspondait en tous points à mon idéal. J'avais même commencé à acheter des objets qui décoreraient ma prochaine maison au bord de l'eau. Tout ce qui cadrait avec un style Maine m'attirait.

L'été dernier, alors que je me relaxais sur la terrasse (bien réelle) de cette maison au bord de l'eau nouvellement manifestée, je ressentis un élan d'amour et de gratitude immense pour ce pouvoir fabuleux que nous détenons tous de concrétiser nos rêves (même les plus fous!). À cet instant, je me suis posé la question: «Et après?»

La zone miraculeuse, là où tout devient possible

Pouvez-vous percevoir cette zone miraculeuse dans laquelle vous êtes entrés en lisant les derniers paragraphes? Plus nous prendrons conscience de ces manifestations qui se concrétisent constamment, plus nous développerons notre confiance dans ce processus et plus nous serons en état d'émerveillement et de gratitude. De là l'importance de partager ces histoires d'attraction! La vie n'est-elle pas en train de nous fournir des preuves que tout est possible? Jusqu'à quel point êtes-vous en mesure d'y croire et de vous ouvrir à cette nouvelle réalité?

Vous aurez peut-être un ménage à effectuer pour faire place à ces nouvelles croyances… C'est probablement une façon de vivre différente de ce que vous avez appris dans cette société de conformité qui est la nôtre. À l'exemple de Gabrielle, vous aurez intérêt à oser être totalement vous-même, même si cela vous fera paraître différent, même si certains vous jugeront…

«Sois Christine» est mon unique règle aujourd'hui. Amour, simplicité, gratitude et joie sont les mots que je choisis pour m'accompagner dans mon cheminement et parfaire mon art de vivre.

Un processus d'expansion…

Merci à Marc Fisher et à sa merveilleuse Gabrielle qui me permettent de prendre un peu plus d'expansion en osant vous écrire à propos de mes pratiques (parfois bizarres, j'en conviens!) de co-création.

J'ai l'impression que l'écriture de ce texte complète mon processus de guérison par rapport à mon besoin de plaire ou d'être aimée. Je n'ai plus besoin d'attendre l'amour et l'approbation des autres maintenant que je sais comment les générer par moi-même. Et je sais à tout jamais qu'il vaut mieux être aimés pour qui nous sommes vraiment. C'est beaucoup plus réjouissant, comme dirait le personnage de Francesco, le boulanger de cette histoire que vous vous apprêtez à lire.

Et je me réjouis également à l'idée de ce monde d'expansion qui fait que plus les gens combleront leurs désirs, plus ils prendront conscience de leur puissance. Nécessairement, par la suite, ils auront envie de le faire à plus grande échelle, non pas pour combler leurs propres désirs (qui de toute façon le seront toujours aisément), mais pour participer à la manifestation de quelque chose de plus grand qu'eux, comme ce nouveau monde de paix et d'amour.

Dans son livre intitulé *Zéro limite*, le Dʳ Hew Len dit : « Les humains peuvent vivre de 2 façons : à partir de leurs conditionnements (émotions, croyances, pensées, règles sociales, etc.) ou à partir de l'inspiration divine. »

Alors que choisissez-vous ?

Sachez que nous avons tendance à trouver ce que nous cherchons dans la vie. Nous devenons ce que nous contemplons aussi… Et nous matérialisons ce que nous ressentons !

La vie nous donnera toujours raison en quelque sorte, alors j'ai décidé de devenir davantage consciente et de choisir le côté lumineux. Je veux voir le beau, apprécier le bon et faire le bien. Je choisis donc consciemment de vivre à partir de l'inspiration divine, guidée par les désirs de mon âme qui, nous le savons maintenant, font partie de nos possibles !

Qu'en est-il pour vous ? Je parie que les pages qui suivent amplifieront ce désir chez vous aussi… Gabrielle sait parfaitement comment ouvrir cette brèche du monde des infinies possibilités en vous. Elle vit dans la zone miraculeuse! Laissez-vous charmer par elle. Aimez-la pour lui permettre de prendre vie dans votre esprit et dans votre cœur. Vous constaterez peut-être qu'elle ressemble étrangement à quelqu'un que vous connaissez…

Et s'il y avait une Gabrielle sommeillant en chacun de nous? Voilà l'ultime force d'un roman d'inspiration. Il nous permet de nous reconnaître… Car si chacun a sa propre histoire, tous sont issus de cette même source de pure énergie positive.

Alors, qui êtes-vous? Et pourquoi êtes-vous ici?

Vous êtes encore plus que ce que vous aviez imaginé. Vous êtes doté d'un potentiel illimité et d'un puissant pouvoir de manifestation. Votre mission, si vous l'acceptez, vous procurera une joie immense. Si vous étiez assis sur la chaise de Gabrielle, je suis certaine que c'est ce qu'elle vous prédirait…

Allez, tournez vite cette page pour entrer dans le monde merveilleux de *La coiffeuse de Dieu*. En espérant que cette histoire touche votre âme autant qu'elle a touché la mienne…

Joyeuse lecture!

Christine Michaud
Amie et admiratrice de Marc Fisher
Amie imaginaire de Gabrielle

Pour ma fille Julia P. (Lippou), dont les rires (souvent fous) m'ont encouragé à achever cette histoire.

Que je lui racontais au fur et à mesure qu'elle me venait. Dans l'auto, en route ou de retour de l'école.

Ou ailleurs, à la plage, à l'épicerie, chez Forever 21, son magasin favori.

Et aussi, forcément, dans mon minuscule bureau, avec vue sur « rien », véritable capharnaüm et pourtant efficace alambic de mes rêves quotidiens.

Partout, en somme, où je cherchais maladroitement à lui plaire… et à la faire rire pour qu'elle pense à son père, quand il ne sera plus que des cendres dans une urne funéraire, comme, sur le manteau de mon foyer, en allé depuis peu, Dadio, mon propre père.

1

C'était l'aube.

«L'Aurore aux doigts de rose se levait», comme eût dit Homère.

Et il y avait un cloître centenaire.

Une longue limousine grise s'immobilisa devant sa porte de chêne bardée de fer, et en descendit une élégante quadragénaire.

Elle semblait nerveuse, presque traquée, regardait à gauche et à droite, comme si elle craignait d'être surprise ou reconnue, malgré ses lunettes noires.

Elle se tourna enfin vers l'intérieur de la limousine, se pencha pour y prendre une nacelle mauve.

Elle jeta de nouveau autour d'elle des regards inquiets, puis rassurée, gravit quatre à quatre les marches du long escalier qui menait à la porte du couvent.

Elle posa la nacelle, écarta d'une main tremblante la couverture de fine laine blanche qui en protégeait le passager.

C'était un adorable poupon de dix jours à peine, peut-être moins, que la femme, se mordant la lèvre inférieure dans un affreux remords, contempla un instant.

Comme sa tête irisée d'un blond duvet était belle, comme ses joues étaient roses!

C'était une petite fille, qui souriait aux anges, car elle ignorait tout de son sort.

Elle était abandonnée à la naissance !

Comme un chien, quand on déménage, un vieux parent qui n'a pas d'argent, juste de mauvais enfants.

Triste mais résolue, la femme aux lunettes noires replaça la couverture sur la nacelle et prit la fuite, comme une voleuse, pour s'engouffrer illico dans la limousine.

Un dernier regard vers la nacelle, un ordre bref et sec à son chauffeur en uniforme, et elle repartait.

Vers sa vie rangée et digne.

Qui avait été dérangée, quel acte indigne ! par la grossesse intempestive de sa fille de quinze ans.

Tombée amoureuse d'un comédien.

2

Quelques minutes plus tard, une très belle jeune femme se réveillait en sursaut dans une minuscule cellule du couvent.

C'était sœur Thérèse, qui y vivait depuis peu — un an à la vérité —, la belle, la surprenante, la tendre sœur Thérèse.

Elle était entrée dans les ordres à vingt ans, chose du reste infiniment rare en cette fin de 20ᵉ siècle. Plus inspirée par le désespoir que par vocation, ou la mode, il est vrai.

C'est qu'elle avait eu, avec Armand Lenoux, un homme plus vieux qu'elle, et marié, une longue liaison qui s'était mal terminée, comme on dit. Elle était tombée enceinte de lui.

Au début, surpris mais ravi, Lenoux, un homme d'affaires prospère de trente-cinq ans, avec une gueule d'acteur et un corps d'athlète, avait décrété que c'était là un signe du destin.

Et une raison sérieuse de quitter enfin sa femme.

Il était temps, pensait Thérèse, après trois ans de liaison clandestine !

Et des centaines de nuits — et surtout d'après-midi — passionnées.

Mais il se passa ceci de curieux et d'ironique que la femme de Lenoux, qu'il croyait stérile, tomba elle aussi enceinte de ses œuvres avant qu'il n'ait le temps de lui annoncer son intention de divorcer.

Il vit là un autre signe du destin, le vrai, celui-là, et renonça à la quitter.

Il quitta plutôt sa maîtresse, la pauvre Thérèse.

Qui fit une fausse couche.

Une dépression.

Et prit le voile.

Elle devait avoir, enfouie en elle, une vocation étonnante qu'avait exaltée l'immensité de son malheur, car à cette époque (on était en 1989) les religieux étaient évidemment plus nombreux à déserter les ordres qu'à y entrer.

Pendant un an, toutes les semaines, avec une régularité épuisante, sœur Thérèse, véritable Lady Macbeth malgré elle, fit des cauchemars dans lesquels, presque invariablement, elle tuait une petite fille blonde, puis se lavait les mains.

Mais la nuit (à l'aube en fait) où le poupon radieux et blond fut abandonné à la porte du couvent par cette femme aux vêtements griffés pour qui seuls les apparences et l'argent semblaient compter, sœur Thérèse rêva que, pour sauver une fillette de la gueule d'un loup à leurs trousses, elle sautait avec elle dans la mer.

Or elle ne savait pas nager.

Elle se réveilla toute en sueur, suffoquant comme si elle était en train de se noyer.

Son premier mouvement, assez compréhensible, fut d'aller respirer le bon air, avec sa première tasse de café du matin : cela lui calmerait les esprits.

Elle ouvrit la porte du couvent, et son visage se décomposa en une grimace effarée.

3

Un loup aux yeux injectés de sang tentait de faire basculer la nacelle.

Le nourrisson le regardait, les yeux arrondis de frayeur.

D'abord, sœur Thérèse crut qu'elle rêvait encore, pas complètement réveillée.

Mais non, il y avait bien, sur les marches du couvent, une nacelle et un loup qui tirait dessus.

D'ailleurs, il parvint bientôt à la renverser.

Le bébé se mit à pleurer, terrorisé.

Sœur Thérèse poussa un grand cri.

Le loup se tourna vers elle, montra ses longues dents pour l'éloigner, irrité qu'on le dérangeât alors qu'il allait déguster ce repas inattendu.

Sœur Thérèse lui lança de toutes ses forces sa tasse de café, atteignit avec adresse — ou chance — son museau.

Hardi, le loup ne recula que de deux pas, en secouant la tête pour dissiper la douleur, conjurer le vague étourdissement qui lui venait. Comme l'animal ne partait pas, sœur Thérèse, n'écoutant que son courage, fonça vers lui en criant à tue-tête et en levant sa main droite comme si elle allait le rosser.

Le loup jeta un dernier regard vers le bébé, puis s'enfuit sans demander son reste vers la forêt d'où il était venu.

Soulagée, la jeune religieuse s'avança vers le poupon, se pen-cha, le prit dans ses bras : il cessa aussitôt de pleurer, comme s'il retrouvait les bras de sa mère, qu'il avait connue seulement dix jours.

Sœur Thérèse le contempla un instant et ne put s'empêcher de verser une larme émue.

Car même si elle avait décidé de consacrer sa vie à Dieu et de renoncer pour toujours à la maternité, elle n'avait jamais été capable, même au plus fort de ses prières, de s'empêcher de penser à cet enfant qu'elle avait perdu et qu'elle avait souvent imaginé.

Ç'aurait été une petite fille, elle en avait l'intime conviction, et elle aurait ressemblé…

…elle aurait ressemblé à ce merveilleux poupon qui était apparu dans sa vie par quelque loi mystérieuse !

N'est-ce pas toujours ainsi que les choses se passent, du reste ?

On a un profond chagrin, une terrible déception, et la Vie nous apporte une grande consolation : une porte se ferme, une autre s'ouvre, si tant est qu'on laisse briller en soi la petite flamme de l'Espoir.

Mais la joie de sœur Thérèse allait être de courte durée.

4

Le premier soin de la Mère supérieure fut d'expliquer à la jeune religieuse qui s'extasiait, en même temps que deux autres sœurs, devant l'adorable poupon posé sur son bureau, qu'elle dirigeait un couvent, pas une crèche!

La sexagénaire aux lèvres pincées avait énoncé cette navrante vérité avec une voix si rauque et si forte que le bébé, ébranlé, laissa échapper une flatulence bien sonore.

Les religieuses, charmées, éclatèrent de rire.

Mais pas la Mère supérieure. Beaucoup s'en eût fallu!

Elle réprima plutôt cette hilarité irrespectueuse par des regards courroucés.

Elle venait à peine de rendre son verdict qu'une lumière éblouissante baigna la pièce, et une voix se fit entendre:

— Moi, Michel, protecteur de cette enfant, je décrète en ce lieu, en ce temps, qu'elle doit être nommée Gabrielle et vivre dans la maison de Dieu.

Et cependant que la lumière s'évanouissait, l'ange, car c'en était un!, se tut, certain que son ordre serait respecté par les sœurs, qui tremblaient devant ce prodige.

Il n'avait pas tort, car l'affaire fut aussitôt entendue.

Gabrielle resta au couvent, malgré les réticences initiales de la Mère supérieure. Elle y grandit en sagesse et en grâce devant Dieu et… les femmes!

Elle passa les vingt et une premières années de sa vie sans presque rien connaître du monde extérieur.

Les sœurs de l'Immaculée-Conception — l'ordre auquel appartenait sœur Thérèse — n'étaient pas des recluses à proprement parler, mais elles sortaient peu (elles n'en avaient du reste pas les moyens) et passaient le plus clair de leur temps à prier et à chanter des cantiques en l'honneur de Dieu.

L'éducation de Gabrielle fut bien particulière. Certes, elle apprit à lire, fort précocement d'ailleurs, car elle était douée. Mais jamais elle ne posa ses yeux sur un journal ou un livre profane.

Elle nourrit son esprit surtout d'ouvrages religieux comme la Bible, *L'Imitation de Jésus*, la vie des saints et des mystiques de toutes les époques, son préféré étant saint François d'Assise, le doux mystique qui parlait aux oiseaux et aimait chastement la belle Claire. Quant à la télévision, elle n'en connaissait même pas l'existence, car il n'y en avait pas au couvent, où l'internet, du reste, n'avait pas encore fait non plus sa triomphale entrée. Elle fut initiée au chant dans une chorale dirigée par sœur Thérèse. Elle possédait une très jolie voix, chantait avec ferveur.

Dès qu'elle fut en âge de travailler, vers douze ans, lui fut assigné l'entretien du jardin du couvent, une roseraie dont le centre était orné d'une magnifique statue de la Sainte Vierge.

Ses travaux de jardinage accomplis, Gabrielle ne manquait jamais de se recueillir de longues minutes devant cette statue bleue, blanche, or et rose, où l'on voyait la mère de Jésus se pencher vers on ne sait quoi au juste, un enfant peut-être, un fidèle, un malheureux.

La jeune femme avait très tôt commencé à faire quelque chose de fort particulier, qui ne tarda pas à attirer l'attention des religieuses.

En effet, elle parlait à la statue, comme elle aurait parlé à sa mère, qu'elle n'avait jamais connue, et ça lui avait toujours laissé une nostalgie, une sorte de détresse, un sentiment d'abandon, car la première et la plus importante personne de sa vie lui avait dit non.

Au début, les autres sœurs crurent que la belle et jeune Gabrielle était un peu bizarre, si ce n'est carrément folle. Car non seulement conversait-elle avec la statue, mais souvent elle riait, avait parfois des fous rires.

Intriguées par ces «conversations», des sœurs se risquèrent à poser à Gabrielle des questions, puis à lui demander conseil pour la conduite de leur vie ou leur cheminement spirituel.

La jeune femme avait des réponses dont la sagesse étonnait, surtout vu son âge. Quand on la louangeait, elle arguait, avec l'humilité la plus parfaite, qu'elle se contentait de répéter ce que Mère (c'est ainsi qu'elle appelait la Sainte Vierge) lui avait murmuré à l'oreille.

Lorsqu'elle eut quatorze ans, elle hérita d'une nouvelle corvée, celle de couper les cheveux des novices, juste avant qu'elles ne prennent le voile. La sœur chargée de ce travail avait rendu l'âme ou plutôt, comme on le disait dans la communauté, était partie rejoindre son fiancé céleste, Jésus.

Gabrielle adorait cette tâche, comme d'ailleurs toutes les autres qui lui étaient assignées, et on aurait dit que tout ce qu'elle faisait l'emplissait de joie.

Elle ne s'ennuyait jamais, ne se plaignait de rien : elle semblait née pour la vie d'obéissance, de chasteté et de pauvreté que son ordre attendait d'elle quand elle prononcerait ses vœux.

La cérémonie était prévue pour coïncider avec l'anniversaire de ses vingt et un ans, et l'on avait déjà préparé son habit bleu royal ainsi que son voile.

Mais la veille de ce jour tant attendu, un événement tout à fait étonnant se produisit.

5

La jeune femme coupait les cheveux d'une novice qui lui faisait face, sur sa chaise, lorsque, les yeux arrondis de stupeur, la bouche entrouverte, elle laissa tout à coup tomber ses ciseaux et son peigne.

La novice vit son effarement, se retourna tout de suite et, comme Gabrielle, fut témoin de l'apparition.

C'était l'ange Michel qui, dans toute sa splendeur cette fois, revenait visiter le couvent, à vingt et un ans de distance, qui n'étaient que quelques secondes dans son éternité — et dans la nôtre aussi, si seulement on savait !

Il était vraiment superbe dans son vêtement de lumière blanche, avec ses longs cheveux blonds, son front très haut, et surtout ses yeux bleu et or dans lesquels l'éclat de mille soleils semblait briller.

Il n'était pas ailé, comme les anges que, dans les années soixante, les professeurs heureux collaient dans les cahiers de leurs écoliers méritoires. Mais des faisceaux de lumière dorée et blanche émanaient de son aura, et entre autres de son dos.

Voilà sans doute pourquoi, de tout temps, on a représenté ces messagers de Dieu avec des ailes !

Malgré leur absence chez Michel, les deux jeunes femmes ne mirent pas en doute son état.

Elles savaient bien que cet être qui n'était entré par aucune porte, sinon celle de leur pureté, venait d'ailleurs, sans doute du ciel ou de quelque chambre invisible du Royaume de Dieu.

Elles éprouvaient une immense difficulté à le regarder en face : la beauté extrême intimide, surtout en notre monde imparfait. Sans que ses lèvres remuent (et pourtant sa voix était bien audible, sonore et grave), l'ange décréta :

— Moi, Michel, ange de mon état depuis la nuit des temps, j'apparais ici, en ce lieu, en cette époque, comme j'apparais à tous ceux qui me le demandent avec la sincérité absolue de leur cœur. Sache, Gabrielle, ma protégée, que ta vie en ce couvent est terminée. Jamais tu ne prendras le voile, car déjà tu le portes ! Oui, tu le portes, invisible mais réel, tissé de toutes tes qualités, de toutes tes vertus, de ta charité vraie. Je suis ici pour te confier ta mission en cette Vie : tu dois partir, avec une vieille bête de la jungle, vers la grande ville où la croix et le dôme règnent sur la montagne. Dans le monde invisible, tu seras désormais connue sous le nom de Coiffeuse de Dieu, métier que tu exerceras sur terre en un lieu qui porte mon nom. Ouvre l'œil, le bon, l'œil intérieur, et alors tu verras les signes, il y en a toujours, c'est notre tâche, à nous, les anges, de les poser sur votre route, à vous, humains. N'oublie jamais ta mission en ce monde ni dans toutes les demeures de Dieu, dans toutes les époques, car jamais tu ne seras heureuse si tu t'en éloignes. Que Dieu te garde !

L'ange disparut, laissant Gabrielle et la novice dans un étonnement craintif.

6

Lorsque Gabrielle, accompagnée de la novice, raconta l'apparition à sœur Thérèse, cette dernière détourna la tête et se mit aussitôt à pleurer. Elle savait qu'elle perdrait celle qui était comme sa fille.

Et qu'elle avait élevée comme une mère.

Une mère qui, du reste, semblait fort jeune.

Car à quarante et un ans, elle en paraissait à peine trente, avait la peau du visage parfaitement lisse, de beaux yeux bruns un peu tristes, pas un seul cheveu blanc dans sa noire chevelure, comme si sa pureté, sa solitude l'avaient protégée des atteintes de l'âge.

La seule chance qui lui restait, c'est que les instructions de l'ange demeuraient en partie sibyllines.

Pas pour « la grande ville où la croix et le dôme règnent sur la montagne », bien sûr.

Car si Gabrielle n'y comprenait rien, sœur Thérèse avait tout de suite deviné qu'il s'agissait de Montréal : elle était déjà allée prier à l'oratoire Saint-Joseph, dont le dôme était célèbre, et elle connaissait la grande croix lumineuse du mont Royal.

— La vieille bête de la jungle, qu'est-ce que ça peut être ? s'interrogea sœur Thérèse.

Une pause et elle ajouta, coquine :

— Peut-être Mère supérieure !

Il lui avait toujours semblé que l'octogénaire, avec son visage tout plissé et ses colères de plus en plus fréquentes avec l'âge, était une sorte de vieille bête, même si ce n'était pas charitable de l'affubler de ce nom qui lui allait pourtant comme un gant.

— Mère supérieure? fit Gabrielle.

— C'est une vieille bête? osa demander la novice.

— Non, je plaisante, admit sœur Thérèse. Remarquez, elle est née à Outremont, c'est une vraie jungle, il paraît.

— Ah bon, se contenta de dire Gabrielle qui n'avait jamais mis les pieds à Outremont et ne s'en portait pas plus mal.

— Mais, fit sœur Thérèse qui revenait à la charge, es-tu bien certaine que tu n'as pas rêvé ou que ton imagination ne te joue pas un vilain tour?

— J'étais là, j'ai vu l'ange! intervint la novice avec une conviction absolue.

— Peut-être simplement as-tu changé d'idée et ne veux-tu plus prendre le voile? conclut sœur Thérèse.

— Non, je veux… enfin je voulais vraiment… mais maintenant que l'ange m'ordonne de partir…

Partir…

Quel mot horrible, quel mot douloureux pour sœur Thérèse, qui vivait un véritable cauchemar!

Gabrielle allait partir…

Aussi bien signer son propre arrêt de mort…

Mais que pouvait-elle dire?

La discussion en resta là.

Quant à la cérémonie de la prise du voile, elle fut suspendue jusqu'à nouvel ordre.

Nouvel ordre de qui?

Personne n'aurait su le dire.

Lorsque la Mère supérieure fut saisie de cette affaire étrange, elle poussa les hauts cris: Gabrielle n'avait jamais eu la vocation et se défilait à la dernière minute, comme font certaines fiancées timorées lorsqu'arrive le grand jour.

Mais à peine trois heures après la mystérieuse apparition, un autre événement inattendu se produisit, qui jeta de la lumière sur toute l'affaire.

7

En effet, une rutilante Jaguar blanche fut livrée au couvent pour remplacer celle qui avait été offerte vingt ans plus tôt à la communauté par le même généreux mécène : Armand Lenoux, dont c'était un peu le cadeau de (vaine) consolation pour la trop romantique sœur Thérèse.

Sur la banquette du passager, il y avait une lettre qui lui était adressée.

La Mère supérieure, impérieuse dans ses fonctions comme certaines femmes dans leur union, voulut l'ouvrir la première, car elle soupçonnait quelque blâmable intrigue. Mais pour une fois sœur Thérèse lui tint tête et décréta :

— Cette lettre m'est adressée, c'est moi seule qui la lirai !

Et sans attendre la prévisible rebuffade de la Mère supérieure, elle se sauva avec la mystérieuse missive au jardin de la Vierge, où Gabrielle la suivit, comme un enfant suit sa mère.

Comme un enfant suit sa mère quand il sait qu'il va bientôt la perdre.

L'éternelle amoureuse s'assit sur le banc de pierre devant la statue de la Vierge, où Gabrielle se recueillait habituellement, et elle ouvrit la lettre en tremblant, la lut et se mit aussitôt à pleurer.

Gabrielle, qui avait pris place à côté d'elle, posa son bras sur ses épaules, pour la consoler, et osa enfin lui demander :

— Pourquoi pleurez-vous, petite mère ?

Elle la vouvoyait depuis toujours et l'avait vite surnommée « petite mère », même si tout en elle était grand : la gentillesse, le dévouement, la beauté.

— Parce que je sais que…

Elle sanglotait tant qu'elle ne put achever sa phrase.

— Vous savez quoi, petite mère ?

Et Gabrielle se mit à flatter sa main comme on flatte la joue rose d'un enfant qui veut tout vous donner, la tête blanche d'un vieux qui a déjà tout donné.

— Je… je sais maintenant que tu vas me quitter, avoua sœur Thérèse.

— Mais pourquoi ?

— Parce que tu dois partir d'ici. Il y a trop de signes, tu dois accomplir ta mission. L'ange avait raison.

— Pourquoi dites-vous ça, petite mère ?

Sœur Thérèse regarda longuement Gabrielle, sans rien dire. Elle hésitait, ainsi qu'on hésite sur le quai d'une gare, ou à l'aéroport quand on laisse derrière soi celui qu'on aime follement et qu'on ne reverra peut-être jamais, car un accident est si vite arrivé, comme une fatale infidélité.

Oui, elle hésitait comme lorsqu'on laisse derrière soi son grand amour pour aller, tel Don Quichotte, vers quelque lucratif moulin à vent appelé en ce siècle « occasion d'affaires », « avancement de carrière » : comme sont fascinantes toutes ces choses banales et sans vrai mystère !

Enfin, sœur Thérèse céda :

— Je vais te lire la lettre, tu vas comprendre.

Et elle s'exécuta de sa belle voix de professeur de chant :

« Mon seul amour, ma raison de vivre, ma certitude, Thérèse, Thérèse, Thérèse, trois fois belle, trois fois grande, trois fois douce, toujours absente et pourtant toujours présente comme une flamme en mon cœur, un incendie dans le désert de ma vie… »

Sœur Thérèse se tut comme si elle regrettait tout à coup d'avoir lu ce passage à sa protégée.

Gabrielle, étonnée d'entendre semblable discours, dévisagea sœur Thérèse, qui sentit son malaise. Gabrielle expliqua :

— Il y a une sœur qui m'a parlé d'une chose comme ça il y a un ou deux mois, elle voulait que je demande à Mère quoi faire, car elle pleure tous les jours depuis qu'elle a vu un homme à l'oratoire Saint-Joseph ; il avait les cheveux blonds, les yeux bleus et un manteau noir. Est-ce la même maladie ?

— Maladie ?

— Elle m'a dit qu'elle était malade de lui…

— Ah, je vois… Je ne sais pas, mais ça y ressemble en tout cas.

— Est-ce que ça se guérit ?

— Je ne peux pas parler pour elle, mais moi, je l'ai attrapée quand j'avais dix-sept ans et je ne suis pas encore guérie. Mais laisse-moi finir cette lettre.

Elle reprit sa lecture. Dans la lettre, Armand Lenoux expliquait :

« J'ai rêvé à mon banquier, qui pense que tout le bonheur du monde tient dans un prêt et de beaux intérêts. Seulement, de son costume Armani qui d'habitude m'ennuie, sortaient deux grandes ailes blanches comme celles d'un ange. Il m'a dit : "Le temps est venu d'acheter une nouvelle Jaguar à ta seule vraie amie en ce monde. Et ajoute à ce présent, qui te vaudra une année de santé et trois mois sans souci, la somme exacte et liquide de trois mille dollars pour sa coiffeuse. J'ai parlé, je repars d'où je suis venu, là où seuls les purs, les fous de Dieu et les enfants jeunes et vieux peuvent aller." »

— Il a rêvé ça ? s'étonna Gabrielle.

— Oui. Je continue, parce qu'il y a un post-scriptum : « Quand accepteras-tu de me revoir ? Je t'aime autant que le premier jour. J'ai commis une erreur, je sais, mais j'avais des circonstances atténuantes. Comme je te l'ai déjà dit cent fois et te le répète une dernière fois, ma femme a voulu se tuer quand je lui ai annoncé que je partais, six mois après sa fausse couche, car cet enfant pour lequel je t'ai quittée, elle ne l'a jamais eu. J'étais libre, nous aurions pu être heureux ensemble. Je sais que je te l'ai avoué trop tard, car déjà tu étais entrée au couvent, je n'ai jamais compris pourquoi, d'ailleurs, ou peut-être que si : je t'avais fait trop mal, ton cœur était une plaie ouverte, que nourrissaient infiniment mon silence et ma bêtise. Alors, je me répète, mais pour moi c'est toujours la première fois : quand puis-je te revoir, mon amour, quand pourrai-je enfin revivre et sortir des limbes où je me perds depuis vingt ans ? »

Sœur Thérèse se tut, laissa tomber la lettre sur ses genoux.

— Ah ! c'est beau ce qu'il écrit, cet homme ! C'est ça, du grand amour, comme pour sœur Eugénie ?

Gabrielle porta aussitôt sa main à sa bouche :

— Ah ! j'avais promis de ne jamais trahir son secret !

— Qu'est-ce que ça peut faire ? objecta sœur Thérèse. Tout le monde sait que sœur Eugénie a eu un coup de foudre : elle ne mange plus, ne rit plus, ne dort plus. Elle maigrit à vue d'œil.

Contre toute attente, la religieuse tira alors de sa poche un briquet et une cigarette blonde qu'elle alluma de sa main tremblante d'émotion.

Elle en tira trois longues bouffées, comme si elle cherchait à curer son désespoir.

— Je… je ne savais pas que vous fumiez, petite mère, sourcilla Gabrielle.

— Et personne d'autre ne doit le savoir !

— Mais je croyais que c'était interdit.

— Le grand amour aussi, c'est interdit ou, en tout cas, ça devrait l'être. Est-ce que ça a jamais empêché quelqu'un de l'attraper ?

— Je ne sais pas, je ne peux pas vous dire, je n'ai jamais été malade.

Et c'est vrai que son esprit était si parfait, si calme, si content de chacun et de tout que jamais elle n'avait souffert de la moindre affection, pas même d'une petite grippe ou d'un rhume.

— Le grand amour, philosopha sœur Thérèse, j'espère que ça ne t'arrivera jamais, surtout quand tu seras partie du couvent et que je ne serai plus là pour te protéger.

— Ça sert à quoi, le grand amour?

— À pas grand-chose, sinon à nous fabriquer des larmes.

— Bon, ben alors je vois pas pourquoi ça m'intéresserait. De toute manière, je pars pour accomplir la mission que l'ange m'a confiée.

— Oui, je sais, mais parfois on oublie sa mission dans le tourbillon du monde et on attrape la maladie d'amour.

— Je vous jure que je vais vous appeler avant que ça m'arrive!

Sœur Thérèse esquissa un sourire, non sans nostalgie.

La belle lettre de grand amour, elle alla illico la cacher. L'écrivain Valéry possédait sa «valise à gloire» dans laquelle il entassait toutes les critiques élogieuses. Sœur Thérèse, elle, en avait l'équivalent, mais plus sentimental et sans doute moins vain: son tiroir d'amour.

Elle y rangea la lettre d'Armand Lenoux, qui portait encore la subtile odeur citronnée de son eau de toilette, quelle griserie! à côté d'une centaine de lettres de lui, toutes de lui!

Qu'elle avait lues et relues.

On peut dire, je crois, qu'il l'aimait d'amour vrai, sans pourtant en avoir subi le test ultime.

Car l'amour vrai, c'est celui que l'on vit tous les jours.

Avec les enfants qui pleurent, les factures qui s'empilent aussi sûrement que la poussière, la maladie, les soucis, aussi prévisibles que les champignons après la pluie, la vaisselle qu'on lave, la lessive, le ménage, les repas qu'on prépare — et ce n'est pas toujours, sur la table modestement nappée de blanc, du caviar de Russie et du champagne.

Gabrielle avait suivi sœur Thérèse dans sa chambre, et, pour la première fois, elle voyait les lettres rangées dans le tiroir d'amour, de fol amour, de folle certitude.

— Oh ! il y en a plusieurs, ne put-elle s'empêcher de s'exclamer.

— Oui, plusieurs.

Dans l'enveloppe où se trouvait la dernière lettre d'Armand Lenoux, il y avait aussi de l'argent, beaucoup d'argent, les trois mille dollars annoncés, en billets de cent, que sœur Thérèse remit à sa « fille ».

— C'est pour toi. Maintenant, tu dois apprendre à conduire la vieille bête de la jungle !

8

— La vieille bête de la jungle ? répéta Gabrielle, intriguée.

— Oui, fit sœur Thérèse.

Et elle lui expliqua succinctement que c'était évidemment la première Jaguar, remplacée pour la communauté par le cadeau princier d'Armand Lenoux.

Ensuite, elle lui donna des leçons de conduite plutôt inhabituelles.

Car elle espérait secrètement que Gabrielle échouât à son test.

Recalée, elle ne pourrait partir.

Dans sa ruse de mère affolée de la perdre, elle lui enseigna que…

… chaque fois qu'elle croiserait un policier, elle devait le saluer en tendant son majeur, bien dressé, tout en retenant ses trois autres doigts libres avec son pouce.

En d'autres mots, il fallait lui montrer le doigt !

— Comme ça ? demanda Gabrielle qui trouvait le geste vraiment amusant.

— Oui, exactement comme ça ! s'exclama sœur Thérèse, qui se réjouissait que son élève eût réussi du premier coup un splendide doigt d'honneur.

Elle lui expliqua aussi que, sur le bord d'un trottoir, il ne fallait jamais se garer de reculons, mais toujours de face.

À un feu rouge, ou dans un embouteillage, elle se devait de klaxonner le véhicule devant elle toutes les dix secondes !

Fière d'elle, sœur Thérèse était persuadée que sa protégée raterait son examen et serait alors condamnée à rester au couvent, sinon pour toujours, du moins le temps de repasser un nouvel examen.

Il n'y a pas de petits profits pour le cœur, surtout pour le cœur d'une mère !

Le jour venu, Gabrielle étonna le fonctionnaire qui la testait en tendant un magnifique doigt d'honneur au premier policier qu'ils croisèrent, et qui heureusement ne la vit pas : le petit homme timide et malingre griffonna une note rapide dans le cartable posé sur ses genoux.

Ensuite, Gabrielle négligea de se garer à reculons, dans les règles de l'art, et le fit avec tant d'insouciance et de maladresse que les cheveux du pauvre homme lui dressèrent sur la tête et cela donna lieu, dans son rapport, à un autre commentaire dévastateur.

Mais son indignation atteignit son comble lorsque, dans un embouteillage, Gabrielle klaxonna copieusement, toutes les dix secondes, le camion devant elle, un dix-huit roues.

N'y tenant plus, son chauffeur, ulcéré, en descendit et voyant qu'il s'agissait d'une voiture gouvernementale pour passer des examens de conduite, voulut s'en prendre au fonctionnaire, qu'il arracha de son siège et souleva comme un pantin, exploit aisé, car il était un véritable colosse.

— C'est toi qui lui dis de me klaxonner comme ça ?

— Non, non, je vous assure, elle est dingue, je ne comprends rien, protesta le fonctionnaire.

Le camionneur le crut, le laissa tomber, comme un pantin, et réintégra son camion devant les yeux étonnés de Gabrielle, qui se demandait ce qui pouvait bien se passer.

De retour au bureau, l'examinateur, qui tremblait de rage et de peur, n'avait qu'une idée en tête, deux en fait : descendre avec soulagement de cette voiture conduite par une véritable folle et cocher dans son rapport, dans un esprit de vengeance punitive, un « X » immense et non équivoque devant le mot : ÉCHEC.

Mais au dernier moment une force, venue d'il ne savait où, poussa sa main vers la case SUCCÈS (l'examinateur sourcilla de son étonnante contradiction !) puis l'obligea à signer son rapport. Le fonctionnaire observa avec effarement sa main indocile, puis regarda autour de lui : il ne comprenait vraiment pas ce qui avait bien pu se passer, pourquoi sa décision allait à l'encontre de ce qu'il avait pensé. Il voulut rayer son « X » dans la case SUCCÈS pour le reporter dans la case ÉCHEC, mais son patron, auprès de qui l'ange Michel était aussi intervenu, le prit de vitesse et lui arracha littéralement son rapport des mains. L'examinateur ne protesta pas.

Encore troublé et intrigué par ce qui venait de se passer, il s'empressa d'avaler un cachet d'aspirine, puis voulut en prendre un autre tout de suite, par précaution. Mais l'ange Michel, actif, on l'aura deviné, dans toute cette péripétie, et malicieux à souhait (peut-être simplement déplorait-il l'usage excessif de la pharmacopée moderne, va savoir !) donna une petite tape sur le flacon dont le contenu se répandit sur le plancher. Le fonctionnaire arrondit les yeux devant ce fait inexplicable et, se croyant plus malade qu'il ne l'était, rentra tout de suite à la maison !

Lorsque Gabrielle reçut la réponse positive pour son examen de conduite et l'annonça à sœur Thérèse, cette dernière fut sans doute la femme la plus triste et la plus surprise du monde : toutes ses ruses avaient échoué !

9

Le lendemain, jour du grand départ — de la grande douleur —, sœur Thérèse retrouva Gabrielle dans la pièce minuscule qui lui servait de chambre.

Il ne s'y trouvait qu'un petit lit, une commode avec une lampe et une statue de la Vierge Marie, que la jeune femme ne manqua pas de mettre dans l'unique valise où tenaient tous ses vêtements et ses biens.

Après une hésitation, elle y mit aussi, comme souvenir, son costume de religieuse, qui avait été taillé pour elle, et le voile qu'elle n'avait jamais pris.

Sœur Thérèse avait la mort dans l'âme.

Elle insista pour porter la valise de Gabrielle, qu'elle mit dans le coffre de la vieille Jaguar. Elle s'efforçait de sourire, de paraître heureuse de ce départ, qui pourtant lui arrachait le cœur.

Elle remit à Gabrielle un « sac à lunch », comme si celle-ci partait pour l'école et avait encore huit ans, dix ans, douze ans !

Et c'est assurément ce qu'elle aurait aimé qu'elle ait, qu'elle ait pour toujours, dans le temps immobile du fol amour, dans l'impossible éternité de l'adoration maternelle.

— Tiens, c'est pour toi, au cas où tu aurais faim sur la route. Je t'ai mis une pomme verte, les biscuits au chocolat que tu aimes, deux sandwichs au jambon avec du bon beurre frais et de la moutarde de Dijon.

Elle eut envie de pleurer en fournissant ces explications pourtant si banales, sans doute parce qu'elle savait que ç'avait été la dernière fois qu'elle avait préparé ces sandwichs.

Et il y a parfois tant d'amour caché dans les sandwichs au jambon avec du beurre frais et de la moutarde de Dijon !

Sœur Thérèse ajouta :

— Je t'ai mis un millefeuille !

C'était le péché mignon de Gabrielle, les pâtisseries, et surtout les millefeuilles.

— Oh, vous êtes folle, petite mère ! s'extasia Gabrielle en écarquillant les yeux. Où avez-vous trouvé ça ?

— C'est mon secret !

Les deux femmes se regardèrent en se tenant les mains. Sœur Thérèse avait envie de pleurer, de mourir même, mais par amour vrai pour sa « fille », elle préféra afficher un visage d'optimisme, et elle se répandit en assurances de joies futures.

— Tu vas voir, ça va bien aller, tu vas adorer Montréal. C'est une ville fantastique. Tu as le plan que je t'ai dessiné pour t'y rendre ?

— Oui.

— Et tu as bien le numéro de téléphone du couvent ?

— Oui, petite mère.

— Tu vas m'appeler tous les jours ?

— Oui, je vous le promets.

Sœur Thérèse regarda un instant la jeune femme qui portait un simple pantalon de toile noire, un chemisier et des espadrilles de même couleur, ce qui lui donnait un look tout à fait contemporain. N'était-elle pas magnifique avec ses longs cheveux blonds, ses yeux bleus, clairs et lumineux, son nez droit et fin, sa belle bouche aux lèvres parfaitement dessinées même si elle ne portait aucun rouge ? D'ailleurs, elle ne recourait jamais au maquillage, même si elle n'était pas encore religieuse et ne le serait jamais.

Sœur Thérèse la trouvait encore plus belle que d'habitude, peut-être parce qu'elle partait, et les adieux embellissent bien des choses. Elle ne ferait plus partie de sa vie, en tout cas de sa vie quotidienne, sauf en esprit. Un peu comme Armand Lenoux. Et elle ne put s'empêcher de penser :

« Pourquoi faut-il que je perde toujours les êtres que j'aime ? »

Il est vrai qu'elle avait perdu sa mère à seize ans, son père à dix-huit : une véritable série noire !

Gabrielle se mit alors à pleurer, comme si elle avait lu les pensées secrètes de sœur Thérèse.

— Je... je viens de me rendre compte que je ne vous verrai plus tous les jours, petite mère, que je ne chanterai plus dans la chorale, que je ne partagerai plus tous vos repas, je ne le réalisais pas et je... ça me fait drôle, je...

— Mais voyons, ne pleure pas, mon enfant ! Tu vas bien t'amuser à Montréal, c'est une grande ville, tu vas rencontrer plein de gens intéressants et surtout, SURTOUT (elle leva le doigt), tu vas remplir ta mission !

Elle serra longuement la jeune femme dans ses bras, puis la laissa monter dans la Jaguar.

Et elle pensa : *Comme ça passe vite, comme ça passe vite, la vie ! Vingt et un ans, on dirait vingt et un mois, on dirait vingt et un jours... Et maintenant : que le temps sera long ! Les heures seront des jours, les jours des mois, sans mon enfant.*

Dans sa nostalgie, elle revoyait ce lointain matin où elle avait trouvé Gabrielle dans sa nacelle, à la porte du couvent, avec ce loup qui avait failli la dévorer vivante, n'eût été de...

Elle préférait ne pas y penser...

Elle revoyait ses premiers pas...

Ses premiers sourires...

Ses premiers mots...

Qu'elle disait à un an et lisait à quatre ans à peine, avec une précocité quasi effarante.

Elle la revoyait à dix ans, puis à seize ans, devenue une magnifique jeune fille.

Maintenant, Gabrielle partait pour faire sa vie, accomplir sa mission…

L'ennui, pensait sœur Thérèse, *est qu'elle ne connaît rien de la vie et de ses pièges. Et elle est si belle, si innocente ! Qui sait ce qui lui arrivera dans la jungle urbaine !*

Au volant de la vieille Jaguar, la jeune femme s'éloigna fort lentement du couvent, non seulement parce qu'elle conduisait seule pour la première fois de sa vie, mais parce que, mission angélique ou pas, cela la mettait tout à l'envers de laisser derrière elle sœur Thérèse.

Cette dernière avait été toute sa vie, pendant vingt et un ans !

Gabrielle n'avait jamais rien connu d'autre que le couvent, qui s'élevait sur une petite colline boisée au nord de Saint-Jérôme.

Dix fois, une expression triste dans les yeux, un sourire ambigu sur les lèvres, elle se retourna pour jeter un regard vers sœur Thérèse, vers son passé. Puis enfin, son plan commodément posé sur la banquette à côté d'elle, elle s'engagea sur la petite route de campagne qui conduisait vers Montréal, vers sa nouvelle vie.

10

Au premier feu rouge, Gabrielle compta docilement jusqu'à dix (selon les instructions formelles de sœur Thérèse) et appuya énergiquement sur le klaxon.

Un jeune homme de vingt-deux ans, qui faisait du stop au coin de la rue, crut naturellement qu'elle l'invitait à monter, ne se fit pas prier, ouvrit la portière de la Jaguar et y prit place. Il jeta son sac à dos sur le plancher devant lui.

— Qu'est-ce que tu fais ? demanda la jeune femme, interloquée.

— Ben, je monte. Tu m'as klaxonné, non ?

— Euh… oui…

Elle ne protesta pas. En plus il souriait de toutes ses dents, inégales mais blanches, et il avait l'air sympa. Très maigre, les cheveux blonds, les yeux verts, il portait un blouson de cuir noir, un jeans troué et à l'oreille gauche un anneau qui piqua la curiosité de Gabrielle. Elle n'avait pas vu bien des hommes dans sa vie et ne savait pas qu'ils pouvaient porter semblable bijou.

Malgré son sourire, le jeune homme semblait nerveux.

Comme s'il fuyait quelque chose. Ou quelqu'un. Peut-être les deux.

— Tu vas où ? demanda-t-il à Gabrielle.

— À Montréal.

— Moi, je vais au Village, c'est parfait.

— Mais ce n'est pas la même chose, une ville et un village! protesta-t-elle.

— Ben oui, le Village est à Montréal, voyons!

— Ah…

Elle sourit. Elle ne voulait pas passer pour plus bête qu'elle n'était. Puis elle se fit klaxonner par le conducteur derrière elle, car le feu venait de passer au vert. Elle démarra.

— Je m'appelle Jonathan, fit le jeune homme.

— Moi, Gabrielle.

Il sourit à nouveau. Elle lui parut nerveuse. Ce n'était pas la première fois que ça lui arrivait, il s'en fallait de beaucoup, parce que sa belle gueule faisait des ravages et rendait souvent les femmes nerveuses. Les hommes aussi.

À la radio, Gabrielle écoutait, sur la Première Chaîne, *L'art de la fugue*, de Bach.

Ennuyé jusqu'aux larmes et grincements de dents, Jonathan osa demander, même s'il n'était qu'un passager de fortune et n'avait aucun droit :

— T'as pas peur de t'endormir, avec cette musique d'enterrement ?

— Euh… non, mais si tu veux…

Il chercha une autre station, trouva de la musique plus contemporaine et monta le son. C'était le tube de Lady Gaga, *Bad Romance*, un peu loin, dira-t-on, des mystérieuses modulations du cantor de Leipzig. On entendait la jeune sensation de la scène, qui avait déjà porté une robe faite de viande de bœuf crue, scander rythmiquement :

« Rah — Rah — ah — ah — ah. Roma — Roma — ma — Gaga Oh la — la. »

Ce n'était sans doute pas l'évocation de Râ, illustre dieu-soleil des anciens Égyptiens, ou de la ville éternelle, Roma.

Ou peut-être que si.

Qui sait les raisons vraies du succès !

Quoi qu'il en soit, Gabrielle eut peine à retenir une grimace, car c'était par trop différent des airs religieux qu'elle affectionnait, et pourtant, aimable, elle abonda dans le sens du jeune homme :

— Oui, c'est… c'est… comment dire… différent. J'aime bien.

Encouragé, son passager haussa encore le son.

Pourtant Gabrielle était si troublée par cette musique qu'elle faillit emboutir la voiture devant elle, freina au dernier moment, se tourna vers Jonathan avec un sourire coupable.

Jonathan lui rendit son sourire, vit le sac à lunch.

Il tendit un doigt dans sa direction :

— Tu as quelque chose à manger ?

— Euh… oui…

— Je peux ?

— Ben, oui…

Il prit le sac, l'ouvrit, repéra tout de suite un des deux sandwichs au jambon, le prit, le déballa, le dévora à belles dents, sourit. Il désigna l'autre sandwich, il avait encore faim.

— Est-ce que ce serait exagéré de…

Elle eut une hésitation, car elle se demandait si ce n'était pas manquer de respect à petite mère que de laisser un parfait étranger se régaler de ses sandwichs.

Mais elle avait appris qu'il faut toujours penser aux autres avant de penser à soi : en plus elle avait déjeuné fort copieusement, car dans l'affolement du grand départ, petite mère l'avait gavée de trois crêpes, de deux œufs et de bacon.

— Ben oui, si tu as encore faim, finit-elle par dire.

Jonathan réserva au deuxième sandwich le même sort qu'au premier, l'engloutit en quatre bouchées et, apparemment repu, expliqua :

— J'avais faim, ça fait deux jours que je n'ai pas mangé.

— Deux jours ? questionna avec étonnement Gabrielle.

Et elle pensa, *c'est peut-être pour ça qu'il est si maigre et paraît si nerveux.*

— Je me suis trop poudré le nez, ça fait perdre l'appétit.

— Ah…

Comme de bien entendu, elle n'avait aucune idée de ce que pouvait vouloir dire l'expression « se poudrer le nez », mais n'osa pas le demander.

Jonathan fouilla dans une pochette de son sac à dos, posé à ses pieds, en tira un gros joint. Gabrielle pensa d'abord que c'était une cigarette, comme celles que fumait petite mère. Certes c'était différent, moins parfaitement cylindré : il n'y avait pas de filtre et on ne voyait pas de tabac à l'extrémité où le papier avait été roulé.

— Tu permets ? demanda tout de même Jonathan à Gabrielle, car il avait aperçu le bref froncement de ses beaux sourcils blonds.

— Euh… oui.

Il alluma le joint, dont il tira une grande bouffée avant de le lui tendre.

— Je ne fume pas.

Il n'insista pas, prit une autre bouffée et faillit s'étouffer lorsqu'il vit Gabrielle faire un surprenant doigt d'honneur en direction d'une voiture de police qui venait dans la direction opposée. Il abaissa rapidement sa fenêtre et jeta avec regret le joint même pas à moitié fumé.

— Qu'est-ce que tu fais ? Tu es folle ou quoi ?

— Ben, je dis bonjour au policier.

— Des plans pour qu'il nous arrête !

Il se retourna, espérant que le policier ne ferait pas demi-tour et ne viendrait pas exiger des explications. Il n'avait pas vraiment envie qu'on lui pose des questions, car dans son sac, il avait une once ou deux de cannabis, et c'était du bon, de surcroît.

Mais ils jouaient de chance, de toute évidence. Le policier n'avait pas vu Gabrielle. Ou bien il n'avait pas eu le temps de s'arrêter, malgré le geste insultant. C'était juste une fausse alarme, contrariante tout de même, car il avait gaspillé son beau joint.

— T'en veux aux policiers ? demanda-t-il.

— Non, pas du tout.

— Si ça te dérange pas, ne le fais plus quand je suis avec toi. Ça pourrait me causer des ennuis. Ça serait trop long de t'expliquer pourquoi.

— D'accord.

Il sourit, pensa que Gabrielle était bizarre. D'ailleurs, le seul fait de conduire une Jaguar à son âge, c'était inhabituel, même si de toute évidence ce n'était pas un modèle récent, loin de là.

Il s'installa confortablement sur la banquette et ferma les yeux, pour suivre le rythme de la musique.

Une petite demi-heure plus tard, ils empruntaient la rue Sainte-Catherine, à partir d'Amherst, et entraient dans le Village gai.

11

Quelques coins de rue plus loin, Jonathan suggéra à Gabrielle de s'arrêter devant un *tourist room* qui se vantait de louer au jour, à la semaine ou pour des siestes, qui étaient bien entendu des passes entre clients et prostituées.

— Je vais descendre ici, fit Jonathan.

— Ah, d'accord...

Et elle gara la Jaguar en fonçant dans le premier espace disponible. Jonathan esquissa un sourire étonné, prit son sac, eut une hésitation, demanda enfin :

— Tu as un endroit où rester ?

— Non, je...

Il parut réfléchir :

— Tu as de l'argent ?

Gabrielle tira son enveloppe de son sac à main, et l'entrouvrit fièrement devant lui, avec une naïveté désarmante. Jonathan vit les nombreux billets de cent dollars, écarquilla les yeux, tout aussi étonné par sa candeur que par l'importance de son argent de poche, car il estima qu'il devait bien y avoir des milliers de dollars.

— Tu as rendez-vous quelque part, là ?

— Non, je suis ici pour accomplir ma mission...

Sa mission...

Il grimaça. Ces trucs Nouvel Âge, ça le faisait dégobiller s'il y pensait plus que trois secondes : dix si, plus cool, il avait fumé. Mais, opportuniste, il proposa :

— Tu veux qu'on partage la chambre ?

Elle pensa un instant à ce que lui avait expliqué sœur Thérèse au sujet du terrible grand amour, mais comme elle ne ressentait aucun symptôme, elle laissa tomber :

— Mais oui, pourquoi pas ?

— Cool !

Quelques secondes plus tard, ils poussaient la porte du *tourist room* et s'avançaient vers la réception un peu miteuse où le proprio, un homme de quarante ans, l'œil las, le nez couperosé par l'alcool, lisait le *Journal de Montréal*.

Il abandonna son quotidien non sans un certain regret, car le crime auquel il s'intéressait était particulièrement morbide. Il demanda à Gabrielle, qu'il avait sans doute prise pour une prostituée, vu sa beauté et sa jeunesse :

— C'est pour une heure ?

— Euh… non, pour la semaine, répliqua Jonathan.

Le tenancier consulta son registre.

— Il y a la 32 qui est libre, c'est trois cents dollars, payables d'avance.

Jonathan farfouilla sans conviction dans sa poche, mais Gabrielle s'empressa de brandir fièrement son enveloppe :

— Pas nécessaire, j'ai l'argent !

Le jeune homme n'était pas pour protester, d'ailleurs il n'avait pas trois cents dollars sur lui, il était toujours fauché. Gabrielle tendit trois billets de cent dollars au tenancier qui, ravi, les invita aussitôt à le suivre.

Dans l'escalier, ils croisèrent Simona, une fausse blonde d'une vingtaine d'années, avec le malheur dans les yeux. Et ce n'était pas seulement parce qu'elle venait de Moscou et que, comme chacun sait, l'âme russe est triste. Son métier n'avait rien de glorieux, surtout pour une fille qui pouvait se targuer d'être membre de Mensa et devait, pour gagner sa vie, distraire ses clients de ses charmes. Celui qui, ce jour-là, la suivait était un quinquagénaire tout ce qu'il y avait de respectable, dans son costume de laine italien : il regarda timidement ses souliers bien cirés, comme s'il craignait d'être reconnu.

Gabrielle, qui ne savait pas ce qui se passait, fit un large sourire à la prostituée et dit :

— Bonjour, Madame !

La prostituée préféra ne pas répondre : la jeune femme se moquait-elle d'elle ? Cette froideur n'empêcha pas Gabrielle de saluer son client avec le même enthousiasme naïf.

— Bonjour, Monsieur !

Le client ne daigna pas lever la tête, chercha nerveusement ses lunettes fumées dans ses poches, les mit, pressa le pas.

Jonathan et la jeune femme arrivèrent à la chambre que leur ouvrit le tenancier. Elle était minuscule, et plutôt minable, meublée on ne peut plus sommairement, avec un lit à deux place, un petit bureau, une commode. Il y avait une cuisinette, un frigo, une cuisinière, une table, deux chaises et une télé.

— Wow ! s'exclama Gabrielle, c'est immense !

Elle ne plaisantait pas. C'était trois fois plus grand que la cellule qu'elle avait occupée au couvent !

Nouvel étonnement de Jonathan. Du tenancier aussi, qui échangea avec lui un regard intrigué. La jeune femme était idiote ou quoi ?

— Voici la clé, se résigna le tenancier.

Il la remit à Gabrielle.

— Je suis sûr que vous allez aimer ça, vous allez voir, c'est tranquille ici.

Le tenancier venait à peine de refermer la porte que, de la chambre voisine, résonnèrent les râlements d'un couple. Gabrielle, qui avait posé sa valise sur le lit et l'avait ouverte, sourcilla, inquiète.

— On dirait qu'il y a une femme qui est malade, dit-elle.

— Non, non, je ne crois pas, ça doit être à la télé.

— À la télé?

— Oui, la télé de l'autre chambre…

Jonathan en était certain maintenant, Gabrielle était une simple d'esprit, elle n'avait pas plus d'expérience de la vie qu'une enfant de cinq ans — d'une enfant de cinq ans qui n'aurait jamais vu la télé, ce qui est plutôt rare de nos jours!

Oui, on aurait dit que Gabrielle venait d'une autre planète…

Jonathan repéra la télécommande sur la table de chevet, s'en empara, alluma la télé, en haussa le son pour couvrir les gémissements de plus en plus précis émanant de la chambre voisine.

Il y avait un match de boxe qui tirait à sa fin, qui en était au douzième round à la vérité, si bien que les pugilistes étaient passablement amochés. L'un d'eux saignait, le visage tuméfié, l'œil droit presque fermé.

— C'est violent, ne put s'empêcher de commenter Gabrielle, estomaquée.

— Ben, c'est normal, c'est un match de boxe…

— Ah…

À la télé, un des boxeurs, frappé par un puissant coup au corps, s'effondrait et restait à quatre pattes, incapable de se relever: du sang coulait de sa bouche pendant que l'arbitre lui donnait le compte.

Une clameur s'était élevée dans la foule, les spectateurs déliraient, brandissaient le poing de la victoire, le visage tordu par la joie de cette quasi-mise à mort.

C'en était trop pour Gabrielle, qui quitta la chambre, les yeux emplis de larmes.

12

Gabrielle fit peu à peu connaissance avec la faune du Village gai.

Rien ne la choqua puisqu'elle n'avait aucun préjugé et d'ailleurs, n'ayant jamais mis les pieds hors du couvent, elle n'avait absolument aucune idée de ce qui était normal ou anormal.

Elle marchait de ce pas vif et léger qu'on a peut-être seulement à vingt ans, et après lequel on soupire toute sa vie. Elle souriait à tout le monde, gais, lesbiennes, *straights*, de son sourire lumineux que la plupart des gens lui rendaient, même ceux qui s'étaient levés du mauvais pied, même ceux qui avaient mal dormi, ou pas dormi du tout, à cause de leurs enfants, de leurs soucis, du petit ami qu'ils avaient. Ou n'avaient plus.

Intriguée, elle ralentit devant la vitrine inusitée de la boutique de sexe Priape. Des vêtements et des accessoires de sado-masochisme y composaient un arsenal qui provoqua en elle une défiance bien explicable. Elle se gratta surtout la tête à la vue d'un mannequin masculin cagoulé de cuir, corseté de noir, qui brandissait dans sa main gauche un martinet menaçant.

Elle éprouva un frisson comme devant quelque chose qu'on sait être instinctivement mauvais, se détourna et pressa le pas, tout en pensant que peut-être son nouvel ami Jonathan pourrait lui fournir des précisions sur ces accoutrements singuliers.

Elle passa devant la Boulangerie de Dieu. Sur l'enseigne, on voyait un dessin représentant saint François d'Assise qui nourrissait les oiseaux avec des morceaux de pain qu'il prenait dans une grande corbeille d'osier.

Saint François d'Assise, son saint préféré!

L'heureuse coïncidence lui arracha un sourire ravi. Elle pensa qu'elle était dans sa mission, que tous les signes étaient là!

L'ange avait raison.

Sœur Thérèse serait si heureuse de l'apprendre.

La porte de l'établissement était ouverte, et ça sentait le bon pain et le café frais. Il y avait aussi une odeur de sucre et de beurre, ce qui n'était pas étonnant, car la Boulangerie de Dieu donnait aussi dans la pâtisserie.

Gabrielle pensa qu'elle ne manquerait pas d'y retourner, dès qu'elle en aurait le temps. En plus, elle adorait le nom, Boulangerie de Dieu, c'était trouvé, non?

Elle arriva devant l'animalerie Les Animaux du Village. Dans une grande cage, trois chiots, un yorkshire, un pékinois et un poméranien, s'amusaient en se querellant amicalement.

En la voyant, comme s'il l'avait aussitôt aimée (mais peut-être se livrait-il à semblable pantomime devant tous les passants, par simple espoir d'adoption!), le yorkshire se mit à faire des bonds d'une hauteur prodigieuse.

Charmée par ces efforts aussi méritoires, Gabrielle avisa une affichette qui indiquait le prix du mignon chien de poche, sa date de naissance et son sexe: c'était une femelle vaccinée, née à peine six semaines plus tôt, et le commerçant en demandait trois cent cinquante dollars.

Le premier mouvement de Gabrielle fut d'entrer pour acheter le yorkshire, qui avait cessé de sauter et semblait attendre sa décision, la tête inclinée et les oreilles dressées. Mais la jeune femme pensa qu'elle devait d'abord accomplir sa mission.

Seul ennui?

Elle ne savait pas au juste de quoi il s'agissait, ce qui est toujours embêtant, peu importe la mission qu'on a, et c'est sans doute pourquoi tant de gens la cherchent, et par la même occasion « se » cherchent et sont malheureux.

« Accomplir ta mission dans un lieu qui porte mon nom », si on peut appeler une révélation ce qui ressemblait davantage à une énigme.

Alors — était-ce l'ange qui intervenait encore une fois dans sa vie ? — un automobiliste klaxonna très fort une auto devant lui, Gabrielle sursauta, se tourna et vit, de l'autre côté de la rue, la belle enseigne du salon de coiffure Michel Ange.

Un lieu qui porte mon nom !

Pouvait-elle exiger signe plus clair ?

En outre, l'ange avait annoncé qu'elle serait connue dans le monde invisible sous le nom de... Coiffeuse de Dieu !

Un plus un égale deux !

Elle applaudit sa bonne fortune ! Elle fit un ultime sourire au yorkshire, qui alla se coucher dans un coin de la cage, l'air boudeur. La jeune femme traversa la rue et nota, signe additionnel du destin, que le salon était situé au coin de la rue de La Visitation, qui rappelle la visite de Marie à la mère de Jean Baptiste ! Elle sourit, ravie par ce nouveau clin d'œil de la Vie.

13

Gabrielle poussa la porte du salon avec une confiance absolue, ce qui, dans bien des domaines, est le plus puissant adjuvant du succès!

Le patron, Carlo, un quadragénaire élégant avec une tignasse déjà poivre et sel, un teint basané d'éternel vacancier, la taille de ses vingt ans — ou presque! —, des yeux bleu acier, se tenait à la caisse et lui demanda:

— Vous avez rendez-vous?

— Euh… non, je suis coiffeuse.

— On est complet.

Non seulement était-il complet, mais, des huit chaises que comptait le salon, seulement trois étaient utilisées. Les affaires ne tournaient pas rondement depuis un an. La jeune femme ne comprit pas ce qu'avait voulu dire Carlo, en tout cas ne se laissa pas démonter.

— J'aimerais *vraiment* travailler ici.

— Comme beaucoup de coiffeuses, ma chérie.

Il était vite familier avec bien des femmes, appelait «chérie» une étrangère après trois minutes. Ou trois secondes, ce qui lui avait valu quelques succès. C'était dans sa nature. Ça n'avait pas de conséquence dans son esprit, même si certaines femmes se faisaient des idées. Il aimait séduire, sexy, viril, avec ses pantalons serrés, ses chemises de soie italiennes dont il laissait volontiers les trois premiers boutons détachés.

— J'aime le nom de votre salon de coiffure.

— C'est gentil, admit Carlo, pourtant agacé par l'insistance de la jeune femme.

Il détailla Gabrielle un instant. Elle n'avait pas un style très contemporain, même si elle portait du noir, mais elle avait quelque chose de différent, une sorte d'aura de pureté, de candeur qui aurait pu plaire à certains des clients — et clientes — du salon.

— Écoutez, je n'ai pas de place pour le moment, mais si…

— Je vais attendre! Je ne suis pas pressée, répliqua-t-elle.

Elle repéra une chaise dans la partie du salon qui servait de salle d'attente et s'y assit. Carlo haussa les sourcils. Était-elle idiote ou quoi? Pourtant, il avait été clair.

— Vous avez votre c.v. avec vous?

— Mon c.v.?

— Oui, je veux dire, vous avez fait l'école de coiffure, vous avez un diplôme?

Questions embarrassantes.

Mais Gabrielle n'eut pas à y répondre.

Son ange protecteur semblait veiller à son destin, même dans les plus infimes détails.

Car tout se déroula en un ballet parfait.

14

Notre vie se passe toujours ainsi.

Seulement, on ne s'en rend pas compte.

Ou alors juste après.

Ce qui est dommage, car on aurait fait l'économie de bien des frustrations, de bien des interrogations, et l'on sourirait davantage, même dans les pires difficultés.

Roxane de la Gare, une animatrice de télé quadragénaire assez célèbre, qui était toujours prête pour un enterrement, car elle ne portait que du noir, se pointa sans rendez-vous.

Une seule coiffeuse était inemployée, Nina, une jolie mulâtresse de vingt-cinq ans, nouvelle chez Michel Ange. Ravissante dans un collant noir et un pull rose, elle préparait sa journée en vérifiant ses accessoires sur son comptoir et en sirotant son premier café. Carlo alla la trouver, lui demanda si elle pouvait prendre l'animatrice, occupée sur son BlackBerry.

— J'ai une cliente dans cinq minutes, répliqua Nina.

— Ta cliente n'est pas arrivée. C'est Roxane de la Gare, la grande animatrice de Radio-Can, expliqua Carlo.

— Elle n'a pas de rendez-vous, qu'elle attende comme tout le monde !

— Tu la prends ou tu prends la porte !

Évidemment, dit comme ça, ça portait à réflexion. Carlo ne donnait pas dans la nuance. Nina était féministe et détestait

71

toute manifestation indue du pouvoir mâle. Mais elle avait aussi un loyer à payer, une voiture, un copain éternel chômeur, et les emplois de coiffeuse ne couraient pas les rues.

Son téléphone sonna. Elle répondit avant de rendre sa décision à son patron, qui souffrait mal que le téléphone lui fît compétition avec succès.

Le petit ami de Nina, avec qui elle partageait tout et entre autres leur seule voiture, lui demandait si elle pouvait le conduire à une entrevue d'embauche.

— Mais ce matin, protesta-t-elle, tu m'as dit que tu n'avais rien. Et j'ai une cliente, deux en fait. Désolée, mon chou.

Elle raccrocha. Carlo, qui avait tout entendu, souriait. Sa coiffeuse revenait au bon sens. Roxane de la Gare s'avançait pour savoir ce qu'il en était: et on pouvait voir à son expression hautaine qu'elle n'avait pas toute la journée et détestait attendre.

Gabrielle restait assise sur sa chaise, souriante, sans impatience aucune.

Attendant son heure.

L'ange Michel apparut alors près de Nina, mais elle ne le vit pas. Personne ne le vit, en fait, pas même Gabrielle. Il murmura des mots décisifs à l'oreille de la jeune femme, que quelques mèches de cheveux frisés irisaient joliment.

15

— Le service que te demande ton ami, expliqua l'ange, rends-le-lui, sinon un grand malheur arrivera dans sa vie et la tienne.

Nina n'entendit pas ces mots précis, mais elle afficha un air grave et, se sentant mal tout à coup, fronça les sourcils.

C'est souvent ainsi que se passent vraiment les choses : l'invisible est partout dans nos vies.

On croit qu'on a un pressentiment, ou même une idée originale, mais ils nous sont soufflés par notre ange.

Ou par l'ange des êtres qui gravitent dans l'orbite de notre affection, même maladroite.

Nina s'empressa de rappeler son copain, qu'elle joignit au moment où il allait monter dans un taxi. Finalement, elle irait le chercher.

Son petit ami indiqua au chauffeur de partir : au coin de rue suivant, un camion passa par mégarde sur le feu rouge et emboutit la voiture dans laquelle il avait failli monter !

Lorsqu'il raconta cette horrible histoire à Nina, elle fondit en larmes, lui tomba dans les bras et lui avoua : « Une chance que j'ai écouté mon petit doigt ! »

L'ange Michel ne s'en formalisa pas : il était habitué à la banale ingratitude de ses protégés.

16

Au salon de coiffure, Carlo dut composer avec cette démission intempestive.

Ancien coiffeur, il aurait pu s'occuper personnellement de Roxane de la Gare, mais elle était hyper capricieuse et s'attendait chaque fois à des miracles : il était juste coiffeur, pas magicien !

Il alla trouver Gabrielle et lui demanda :

— C'est quoi, ton nom ?

— Gabrielle.

Il se tourna vers Roxane de la Gare et lui annonça fièrement :

— Gabrielle va vous prendre maintenant, madame de la Gare.

L'impatiente animatrice examina un instant la débutante. Celle-ci était jeune, et nouvelle, de toute évidence. N'était-ce pas dangereux de lui confier sa célèbre tête ?

Carlo lut son inquiétude : être psychologue est la clé du succès en affaires, peu importe le domaine !

— Gabrielle est notre nouvelle coiffeuse-vedette. Elle est top.

— Ah bon… laissa tomber l'animatrice non sans un étonnant plissement dans son front pourtant *botoxé* à grand prix.

Son BlackBerry sonna à nouveau. Cela mit un frein au train de pensées sceptiques qui avait commencé à déferler dans sa tête. Occupée à bavarder, elle posa son postérieur — que n'amincissaient pas suffisamment à son goût ses incontournables robes noires ! — sur la chaise abandonnée par Nina.

En entendant ce mensonge stratégique, Josette, la coiffeuse qui travaillait sur la chaise voisine, ne put réprimer un sourire. Carlo avait peut-être des défauts, mais il savait y faire pour régler les situations délicates. Elle lui décocha un clin d'œil complice, qu'il lui rendit en levant les yeux au ciel.

Nina était partie en laissant derrière elle son arsenal de coiffeuse, et par conséquent tout était parfait pour Gabrielle : encore une fois, elle se réjouit de sa bonne fortune. Elle sourit à Josette qui, à trente-neuf ans, ne faisait pas son âge. Elle était très mignonne avec ses cheveux roux coupés court et ses yeux bleus pétillants.

— Je m'appelle Josette. Bienvenue chez Michel Ange !

— Merci ! Moi, je m'appelle Gabrielle.

Paul, le troisième coiffeur du salon, qui exerçait déjà son art sur la chevelure d'une cliente, la salua d'un hochement de tête.

C'était un homme de trente-cinq ans, nanti d'une magnifique chevelure brune, qui ne prenait que du café le matin et déjeunait la plupart du temps d'une simple pomme, secret de sa minceur éternelle. En plus il était maniaque de golf, ce qui ne nuit jamais, en tout cas quand on marche ses dix-huit trous trois fois semaine, *rain or shine* !

L'animatrice de télé demanda à Gabrielle :

— Vous pouvez faire ça vite ?

Ce n'était pas une question, c'était une exigence, un ordre !

— Oui, bien sûr, madame du Train !

— De la Gare ! De la Gare ! fit l'animatrice, exaspérée, en haussant les sourcils.

Elle était alzheimer ou quoi, cette supposée nouvelle star du ciseau !

— Oui, je veux dire…

— Contentez-vous de rafraîchir ma coupe, l'interrompit l'animatrice comme elle interrompait tout le monde : c'était dans sa manière, même avec ses plus importants invités.

— Pas de problème.

Gabrielle se mit tout de suite au travail, avec un enthousiasme excessif, comme si elle venait de décrocher un emploi à la Maison-Blanche.

Pas comme secrétaire : comme présidente des États-Unis ! Josette sourit de ce zèle de débutante, qu'elle avait perdu depuis belle lurette.

Paul préféra ne pas regarder ce spectacle : Roxane de la Gare était tyrannique.

Si Gabrielle gaffait, l'animatrice pousserait les hauts cris, et la carrière de la jeune femme prendrait fin aussi rapidement qu'elle avait débuté !

Roxane de la Gare était une cliente importante, et Gabrielle une débutante : en temps normal, Carlo aurait veillé au grain.

Mais Charles Delarge, son comptable, qui était arrivé fort tôt le matin, ressortit alors de l'arrière-boutique, l'air préoccupé, et vint le trouver. C'était un sympathique petit homme d'âge mûr, prématurément chauve, avec des lunettes rondes, des yeux pétris de sagesse.

— Je peux te parler une minute ? demanda-t-il au patron, avec une mine assez sérieuse.

— T'as pas de bonnes nouvelles ?

— Tu as perdu huit cent cinquante-cinq dollars en juillet, la même chose qu'en juin, si la tendance se maintient... prévint le comptable, d'une voix un peu trop forte au goût de Carlo.

Ce dernier lui fit signe de baisser le ton. Il ne voulait pas que Paul et Josette connaissent ces détails peu glorieux, même s'ils savaient tous deux que le salon ne roulait pas sur l'or : il n'y avait qu'à regarder les chaises vides.

Compréhensif, Delarge expliqua d'une voix feutrée :

— Il va falloir que tu coupes, mon cher Carlo.

— On fait ça à longueur de jour, couper !

— Drôle, mais il va vraiment falloir que tu le fasses.

— J'ai une idée : on peut commencer par couper tes hono-
raires. Et on peut aussi te couper les cheveux gratuitement pendant un an au lieu de te payer.

Le comptable passa la main sur son crâne lisse, maugréa :

— Vraiment, tu es drôle aujourd'hui.

Carlo esquissa un sourire, examina le livre de comptabilité que
Delarge avait ouvert devant lui et dans lequel il désignait certains
postes plus problématiques que d'autres. Ce n'était pas la joie,
surtout en comparaison des années de gloire que le salon avait
déjà connues.

Carlo dut bientôt s'arracher à cet examen déprimant, car un
drame éclatait.

17

En effet, lorsque Roxane de la Gare examina sa nuque dans le miroir à main que lui tendait Gabrielle, elle fut catastrophée.

Car tout le temps que Gabrielle avait déployé son talent de débutante sur sa tête capricieuse, l'animatrice avait été occupée à envoyer des textos.

— J'ai pas demandé qu'on me rase le crâne! fulmina-t-elle. Dans son inexpérience, Gabrielle avait effectué la seule coupe qu'elle connaissait, très courte, un peu à la Jeanne d'Arc, et qu'elle assenait invariablement à toutes les novices sur le point de prendre le voile, à toutes les sœurs qui l'avaient déjà pris.

Furieuse, l'animatrice arracha le miroir des mains de Gabrielle et le jeta sur le comptoir dans un de ces gestes théâtraux dont elle avait la déplorable manie. La jeune coiffeuse, qui ne savait plus où se mettre, était bouleversée.

— Je pensais que ça vous plairait, je…

Mais, par chance, arriva au salon le petit ami de l'animatrice, un homme plus jeune qu'elle, plutôt beau, qui faisait un peu gigolo dans son pantalon, sa veste et ses bottes de cuir noir — il avait sacrifié à la bonne couleur! Il s'approcha d'elle, visiblement excité par son nouveau style, caressa sa nuque fraîchement dégarnie.

— Tu es *hot*, ma chérie! la complimenta-t-il avec sincérité, ce qui lui arrivait parfois, surtout quand il avait besoin de lui emprunter des sous.

— C'est une idée que j'ai eue, j'ai pensé que ça te plairait ! mentit l'animatrice.

Josette, qui avait tout entendu, leva les yeux au ciel. Quel personnage détestable ! Paul dodelina de la tête, incrédule, pensant : *bitch* un jour…

Roxane de la Gare régla Gabrielle en lui laissant un généreux pourboire et quitta aussitôt le salon bras dessus, bras dessous avec son petit ami ravi.

Carlo, qui avait assisté à toute la scène, se frottait les mains. Il s'approcha de Gabrielle et lui annonça qu'il l'embauchait, lui déclina salaire, tâches et différents avantages.

Elle sauta de joie : elle allait enfin pouvoir accomplir sa mission ! Carlo ajouta :

— Comme tu n'auras pas beaucoup de clientes au début, c'est toi qui vas être chargée du ménage au salon.

— Vraiment ? dit-elle, tout excitée.

— Oui.

Il lui remit le balai du salon, appuyé sur le mur, près de la chaise de Paul. Ce dernier plissa les lèvres. Carlo faisait le même coup à toutes les débutantes !

Extatique, Gabrielle se mit aussitôt à balayer le plancher avec un zèle incroyable.

Quand elle eut fini, elle ne voulut pas s'arrêter là et, poursuivant sa corvée à l'extérieur, nettoya le trottoir comme s'il faisait partie du salon, comme s'il lui appartenait.

Ce qui arracha un sourire incrédule — mais satisfait — à Carlo. Une fois de plus il avait eu la main heureuse : la petite était vaillante ! Josette et Paul n'en revenaient pas : la nouvelle était une arriérée mentale ou quoi ?

Une fois que Gabrielle eut terminé, elle s'appuya sur son balai pour examiner fièrement son « œuvre ». Le trottoir était vraiment propre, comme le jardin de la Vierge qu'elle avait entretenu pendant des années : les bonnes habitudes ne se perdent pas !

De l'intérieur, Carlo, Josette et Paul la regardaient avec un mélange de curiosité et d'embarras. Quelle jeune femme étrange, comme venue d'ailleurs !

Du trottoir, Gabrielle pouvait apercevoir la vitrine de l'animalerie, et même le petit chien qui sautait encore comme un fou dans sa grande cage. Et elle pensa que, le soir, après sa première journée de travail, elle irait l'acheter : il était trop mignon, elle ne pouvait s'en passer, il le lui fallait dans sa nouvelle vie !

Dans sa nouvelle vie sans sœur Thérèse.

D'ailleurs, il faudrait bien qu'elle l'appelle pour tout lui raconter. Sa rencontre avec Jonathan. Son installation dans une immense chambre dans le Village, qui était dans la ville, et ce nouvel emploi qu'elle avait décroché comme par magie au salon de coiffure Michel Ange, oui, Michel Ange, comme le nom de l'ange qui lui était apparu !

18

La première journée de «séparation» de sœur Thérèse ne fut pas aussi glorieuse que celle de Gabrielle, loin de là. C'est un peu comme en amour : c'est souvent celui qui reste qui verse le plus de larmes, car il reste avec ses souvenirs, l'autre part vers son avenir.

Petite mère se doutait bien que ce serait difficile, mais pas à ce point.

Ah! Ce que les heures passaient lentement!

Elle fit comme on nous dit tout le temps de faire, mais qui ne marche pas toujours : elle tenta d'occuper son esprit, de penser à tout sauf à sa fille adorée.

Mais la manière de ne pas penser à elle alors qu'elle faisait le ménage de sa chambrette? Comme elle était vide, cette cellule, sans son adorable occupante des vingt dernières années! Chaque coup de balai tuait littéralement sœur Thérèse : on eût dit qu'elle balayait son passé, pire encore, son avenir.

Et quand, dans le dernier tiroir de la commode, elle découvrit l'ourson de peluche rose que Gabrielle avait oublié, elle se mit à pleurer.

C'était trop, tout simplement trop.

Elle cacha l'ourson sous sa robe, puis dans sa chambre, sous son oreiller!

Il fallait pourtant qu'elle retrouve une contenance, car ce jour-là, elle devait diriger la chorale de fillettes qu'elle avait prise en charge.

Dans la petite chapelle du couvent, elle leur faisait répéter depuis quelque temps *Jésus, que ma joie demeure*, de Bach. Elle aurait plutôt souhaité que sa joie revienne, mais elle s'en était allée dans les sourires et les cheveux blonds de Gabrielle, dans sa beauté et ses rires. Oui, sans le savoir, Gabrielle avait emporté dans sa valise toute la joie de petite mère.

Que ma joie demeure !

Facile à dire !

Les vingt fillettes qui formaient la chorale chantaient bien cet après-midi-là, oui, chantaient bien de leur voix si pure, qui est comme le matin du monde, si loin de ses laideurs.

Oui, elles se surpassaient, avec leurs lunettes, leurs tresses, les étoiles dans leurs yeux, comme si elles en avaient senti la nécessité, non pas pour ne pas déplaire à leur exigeant professeur, mais parce qu'elles avaient compris peut-être sa secrète tristesse.

Leur exécution fut impeccable, et pourtant sœur Thérèse, qui ne cessait de penser que Gabrielle n'était plus dans la chorale et n'y serait jamais plus, resta sans rien dire, ce qui différait de sa manière, car, en général, elle n'était pas avare de compliments.

Mais cette fois-ci, elle restait muette, comme une tombe.

Même chez les enfants, il y a toujours un chef.

Qui parfois le restera plus tard, chez les grands.

Dans la chorale, le chef, c'était Julia, déjà très grande, déjà parfaitement formée à douze ans. Elle régnait sur les autres enfants non seulement par sa beauté, mais parce qu'elle était aimable avec tous malgré sa grande popularité : elle était juste, don rare et précieux, surtout chez ceux qui sont doués.

Lorsqu'elle vit la réaction étonnante de sœur Thérèse, elle comprit ce qui se passait. Elle tint avec les autres membres de la chorale un bref conciliabule, usurpa pour ainsi dire les droits de sœur Thérèse et donna la mesure à la chorale avec une autorité surprenante pour son âge.

Les fillettes entonnèrent l'*Ave Maria*, de Schubert, mais, délicatesse ravissante, au lieu de chanter *Ave Maria*, elles chantèrent *Ave Thé-ré-sa*.

Oui, Ave Thérésa !

Lorsque leur professeur se rendit compte de la subtile modification, elle se mit à sourire, puis à pleurer de joie ; c'était le plus beau cadeau qu'elle avait reçu de toute sa vie, après bien entendu Gabrielle qui n'était pas un cadeau, mais, précisément, toute sa vie.

Le chant achevé, dans un mouvement spontané, les vingt fillettes entourèrent sœur Thérèse, la serrèrent dans leurs bras graciles, la caressèrent.

Elle ne put s'empêcher de se dire que la vie valait encore la peine d'être vécue. Peut-être. Même sans Gabrielle.

Gabrielle qui semblait tout sauf pressée de lui téléphoner, comme si elle l'avait déjà oubliée.

Ou avait perdu le numéro de téléphone du couvent, qu'elle avait pourtant écrit sur des bouts de papier qu'elle avait mis partout, dans ses poches, dans son sac à lunch, dans sa valise.

Cinq fois, dix fois, vingt fois, elle s'était présentée à la salle commune pour voir si elle avait reçu un appel de Gabrielle, car les sœurs ne disposaient pas de téléphone individuel dans leur chambre : seule la Mère supérieure en avait un dans son bureau.

À vingt heures, comme Gabrielle ne lui avait toujours pas téléphoné, sœur Thérèse se mit à penser que le pire lui était arrivé. Elle avait eu un accident ou avait été enlevée par un maniaque.

N'y tenant plus, la religieuse, par désespoir — ou espoir d'une vie nouvelle —, fit la chose qu'elle rêvait de faire depuis vingt ans.

19

L'adorable chiot avait déserté sa grande cage.

Gabrielle fit une moue contrariée, arrondit les yeux.

Où donc était passé le mignon yorkshire?

Elle entra dans l'animalerie et expliqua à la vendeuse :

— Il y avait un petit chien dans la vitrine, et je ne le vois plus. J'aimerais l'acheter.

— Trop tard, expliqua la vendeuse.

Et elle désigna un élégant quadragénaire un peu replet dont les sourcils soigneusement épilés surmontaient des yeux noirs d'une tristesse infinie. Il venait tout juste d'acheter l'adorable canidé, peut-être parce que son ami l'avait quitté ou ne l'aimait pas comme il aurait voulu être aimé. Ça s'est vu, même chez ceux qui ne sont pas gais : on est toujours mal aimé de la même manière, tous sexes confondus.

— Oh! je vois, fit Gabrielle, et elle s'approcha du client, qui caressait le chien de poche.

Lorsque le chiot aperçut Gabrielle, il parut la reconnaître, s'agita à ce point qu'il sauta des bras de son nouveau maître et courut vers la jeune femme, qui se pencha pour le prendre. Après l'avoir brièvement caressé, non sans émoi, elle le rendit à son propriétaire.

Il la remercia gracieusement et tourna les talons, mais il n'avait pas fait trois pas que le yorkshire, qui décidément avait une idée fixe, lui échappait à nouveau et courait vers Gabrielle, embarras-sée de sa popularité inattendue.

Alors son propriétaire dit, non sans philosophie :

— C'est vous qu'il désire comme maître, pas moi. Si vous le voulez, je vous le donne moyennant les quatre cents et quelques dollars qu'il m'a coûté.

Gabrielle n'hésita pas une seconde, tendit cinq billets de cent dollars au client et, sans attendre qu'il lui rende sa monnaie, elle quitta la boutique, quasiment comme une voleuse au cas où il changerait d'idée.

Spontanément, sans savoir pourquoi, elle baptisa son petit chien de poche Juliette.

20

Le soir, de retour à sa modeste chambre, Gabrielle s'agenouilla devant son petit autel de fortune et installa Juliette juste à côté d'elle. Cette dernière resta sage comme une image, déjà parfaitement dressée, eût-on dit.

Dans une vieille bouteille de Coca-Cola trouvée au fond de l'unique placard de la chambre, Gabrielle avait placé trois pissenlits, à côté de la statuette de Marie, certaine que ça lui plairait.

Une simple planche trouvée dans une ruelle du quartier, et posée sur deux briques, lui tenait lieu de prie-Dieu.

Jonathan n'était pas là, occupé à quelque tâche dont elle n'avait pas idée. Aussi n'éprouvait-elle aucune gêne à faire à haute voix, à la Vierge Marie, sa prière quotidienne :

— Premièrement, je veux vous rassurer, Mère. Il s'est passé beaucoup de choses dans ma journée, mais tout va bien. Je vis maintenant au Village. Je pouvais pas tomber mieux, tout le monde s'aime beaucoup, c'est incroyable. Les hommes se tiennent par la main, ils s'embrassent même, parfois sur la bouche, ça me touche de voir leur amitié. Les femmes aussi, elles s'aiment beaucoup. Elles ont souvent les cheveux très courts, comme des garçons, et se tiennent aussi par la main ou par la taille. Au début j'étais surprise, puis, je me suis dit : c'est vraiment comme Jésus voulait dans le Nouveau Testament, que tous les hommes soient frères et s'aiment. Je comprends maintenant pourquoi l'ange Michel m'a envoyée ici. Il n'y a pas de hasard, comme dit souvent petite mère. J'habite avec Jonathan dans une chambre «tout risque». En anglais, ils disent *tourist room*. C'est immense, environ trois fois plus grand que ma chambre au couvent.

J'ai trouvé tout de suite du travail au salon de coiffure Michel Ange! Au début, je pensais pas qu'on m'engagerait, parce que Carlo, le monsieur qui décide tout et dit à tout le monde quoi faire, il m'a demandé si j'avais le diplôme. Le diplôme, c'est un papier important qui prouve que tu es diplômé, que tu connais le métier. C'est Josette, une autre coiffeuse, qui m'a tout expliqué, mais au couvent, ils en donnent pas, de diplôme. Alors je pensais que ça marcherait pas. Mais à un moment donné, Nina, qui a la peau comme un des Rois mages, Balthazar ou Melchior, je suis pas sûre lequel au juste, elle a donné sa démission. C'est ça qu'elle m'a expliqué, Josette. J'ai pensé que ça voulait dire que quand tu voulais changer de mission, tu donnais ta dé-mission, mais Josette m'a dit qu'il y en a qui la donnent jamais même si c'est pas leur mission, alors ils sont malheureux, ou quelque chose comme ça. Nina, elle ne voulait plus couper les cheveux d'une femme qui travaille à la télé. La télé, c'est… vous connaissez sans doute pas ça, je pense pas que ce soit vraiment nécessaire au Ciel. C'est une espèce de boîte et il y a des images dedans, ça ressemble un peu à ce que je vois quand je lis dans les âmes et, je vous le dis en passant, ça peut être très violent, ils appellent ça la boxe. Il y a beaucoup de sang. Moi, je n'aime pas, personnellement, même si les gens crient de joie et applaudissent, quand il y en a un qui tombe, chacun son truc. Josette m'a expliqué que ceux qui travaillent à la télé, il faut toujours que tu leur fasses des compliments et que tu dises comme eux, même s'ils se trompent, parce que c'est des gens très importants, et en plus ils se fâchent facilement.

À ce moment, Gabrielle entendit, comme à son arrivée, le bruit d'un couple qui, dans une chambre voisine, faisait l'amour :

il y en avait un au moins qui croyait le faire, l'autre ne faisait que de l'argent!

Juliette aussi avait ouï les gémissements saccadés, et même les *Oh God! Oh God!* convaincants de la jeune femme. Elle dressa ses adorables petites oreilles, visiblement intriguée. Même qu'elle se mit à grogner comme si elle percevait une menace.

— Oh! justement, Mère, je vais l'allumer, la télé, parce que je pense qu'il y en a qui écoutent la boxe dans la chambre d'à côté.

Elle se leva, suivie de sa petite chienne, alluma le téléviseur, tomba sur le début de *The Sound of Music*: Julie Andrews, dans le magnifique pré au milieu des Alpes autrichiennes, virevoltait et chantait la chanson thème du film. Gabrielle se laissa prendre par la magie de la scène, imita un peu gauchement l'actrice à la voix angélique, se mit à tournoyer comme elle. Juliette tenta pour sa part de singer (si la chose est possible pour un canidé) sa maîtresse et fit, elle aussi, quelques pas de danse improvisés, mais elle n'était pas une chienne savante.

À un moment, Gabrielle manqua le pas, trébucha et se retrouva affalée sur le plancher. Comme elle était jeune, elle s'en amusa au lieu de grogner comme un vieux: nos chutes (comment nous les faisons et surtout comment nous les accueillons) disent aussi assurément notre âge que notre démarche! Juliette regardait Gabrielle, à un demi-pouce de son nez amusé.

La jeune femme se releva et se rappela ce qu'elle était en train de faire, avant l'intermède musical inattendu, ce qui, pour elle, était plus important que tout: sa prière quotidienne!

Elle revint à son prie-Dieu, joignit les mains pour compléter son oraison, et Juliette la suivit. Elle voulut à nouveau imiter sa maîtresse, heurta inutilement l'une contre l'autre ses mignonnes pattes, dont les orteils bien entendu ne pouvaient s'entrecroiser, et dut à la fin se résigner à poser sa dextre sur sa senestre, c'était mieux que rien, et c'est l'intention qui compte, non?

Gabrielle la vit et esquissa un sourire ravi : déjà, en moins de vingt-quatre heures, elle ne pouvait plus se passer de sa chienne, celle-ci était tout simplement trop adorable ! C'était comme un coup de foudre, on le sait tout de suite.

Que c'est pour la vie.

Sinon mieux vaut passer son chemin, non ?

— Pour ma prière, murmura Gabrielle, laconique au moment de sa conclusion, j'espère que sœur Thérèse va bien et que vous la protégez en lançant sur son chemin une de vos roses invisibles.

Une pause et elle s'exclamait, en se frappant le front, affolée de son étourderie :

— Sœur Thérèse ! Oh mon Dieu ! J'ai complètement oublié de lui téléphoner comme je le lui avais promis. Alors, Mère, pouvez-vous lui envoyer un petit message directement du Ciel et lui dire que je l'aime beaucoup, booooocoup.

Booooocoup, comme elle le lui disait plaisamment, à sa demande quasi quotidienne : on ne se lasse pas de se faire dire « Je t'aime ! » sauf par ceux à qui on n'a pas envie de le dire !

— Répétez-lui, en trois copies plutôt qu'une, que je pense à elle à temps plein, à chaque minute, à chaque seconde. Mais il n'y a pas de téléphone ici, dans ma chambre tout risque, et je ne sais pas où j'ai mis le numéro du couvent, il était dans la boîte à lunch, mais peut-être que c'est Jonathan qui l'a pris, après avoir mangé mes deux sandwichs au jambon avec du beurre frais et de la moutarde de Dijon. Je vais demander une explication. Mais demain seulement, il est pas là et je suis fatiguée, avec tout ce qui est arrivé dans la journée. *Amen.*

21

La Boulangerie de Dieu était, et de loin, la boulangerie la plus populaire du Village.

Le physique du beau Francesco, le fils du proprio, n'était pas étranger à ce succès.

Pas une once de gras sur son corps athlétique de trente-trois ans — il mangeait comme un oiseau et travaillait comme un bœuf! —, le cheveu noir gominé à l'italienne, les yeux verts lumineux qui ravageaient un visage anguleux et basané de Méditerranéen, il possédait en outre un magnétisme fou.

Et un sourire qui tuait. Autant les hommes que les femmes.

De surcroît, une aura de mystère l'entourait, car on ne lui connaissait ni maîtresse ni amant, pas de vie amoureuse en somme, enfin depuis des années.

À son âge, avec sa gueule, sa santé et son métier public, ça surprenait, ce gaspillage éhonté de tant de jeune beauté musclée.

Il était quoi, au juste, le beau Brummel, à part boulanger, le jour?

Il faisait quoi, la nuit?

Et avec qui?

Était-il banalement un homosexuel qui craignait bizarrement de s'afficher?

Étonnant, quand même, en cette époque et surtout en ce lieu, le Village.

Gai.

Fallait-il lui faire un dessin, lui dire *wake up and smell the coffee*, ose vivre ta vie ?

Il en était exaspérant à la fin.

Mais ça faisait rouler les affaires de la boulangerie, au grand plaisir de son père, monsieur Giovanni, un sexagénaire au cœur malade et aux angoisses vivaces. Oui, cet insondable mystère, le même que celui qu'entretiennent savamment bien des chanteurs pour ne pas perdre la lucrative engeance de leurs fans, hommes ou femmes, faisait florès au Village gai !

Où, pourtant, chacun ou presque jouait cartes sur table, s'affichait sans fausse honte, claironnant par exemple : « J'ai telle fantaisie, je suis prêt à la vivre sans préavis, avec telle ou telle personne, et on peut être plus que deux, soit dit en passant ! On n'a qu'une vie à vivre, autant la vivre à deux cents à l'heure — et à trois s'il le faut ! »

La vérité au sujet du beau Francesco était simple : il n'était pas un gai honteux, il était un fou de Dieu. Et, d'un romantisme à tout le moins original en notre époque, il entendait ne faire l'amour qu'avec une femme qu'il aimerait d'amour fol et vrai.

Il faut ajouter qu'il avait adopté l'ancien *credo* de saint François d'Assise.

Dont le premier article consistait à observer l'Évangile, cette sensationnelle biographie non autorisée de Jésus, et le deuxième de manifester en toute chose de la Douceur.

Or il voyait une absence de Douceur dans l'amour sans amour.

Voilà quelle était la raison véritable de sa réserve amoureuse.

Il pensait aussi que l'amour obéit à la loi des vases communicants, qu'il ne fallait pas encombrer la chambre de son cœur d'un sentiment seulement passager, qu'il fallait y laisser le vide le plus absolu si l'on voulait que le grand amour puisse un jour y entrer — et y rester !

Plus jeune, il avait eu deux amours, mais ça n'avait pas duré, pas vraiment par sa faute.

La première femme était morte dans un accident d'auto. La deuxième, follement amoureuse de lui, mais de nature inquiète, dira-t-on, s'était suicidée parce qu'elle avait cru par erreur qu'il l'avait quittée : il était simplement allé à la pêche au saumon dans le Grand Nord, avec son père, et l'avion qui devait les ramener avait connu des ennuis. Il était revenu avec trois jours de retard : elle n'avait pu attendre son retour et avait avalé un flacon de somnifères.

Deux tragédies qui avaient amené Francesco à réfléchir sur le sens de sa vie.

Amoureuse.

Ne portait-il pas malheur aux femmes qu'il aimait ?

Il était à peine six heures trente, ce jour-là, et Francesco revenait de son expédition quotidienne et matinale.

Très matinale, à la vérité.

Car dès que «l'Aurore aux doigts de rose» teintait le ciel, le beau boulanger mystique portait aux pauvres du quartier vingt-six petits pains, jamais plus, jamais moins. Vingt-six petits pains qu'il avait pétris à la fin de la nuit et sur lesquels il avait inscrit avant la cuisson, au hasard de son inspiration, les nobles et simples mots : *Donne, Pardonne, Souris, Vis.*

Sur au moins la moitié des pains, comme une signature de lumière, une incantation, une invitation, il gravait le mot *Dieu.*

Ou parfois, et plus souvent depuis quelque temps, sans qu'il sût pourquoi et comme si, mystérieusement, quelque chose se préparait dans sa vie, il notait ce poème : *Je t'aime.*

Son père, qui lui aussi portait beau malgré ses soixante ans et un penchant incorrigible pour le porto, était plus économe que lui et lui reprochait souvent cette absurde générosité. Il n'y voyait qu'un inutile encouragement aux pauvres de croupir dans leur médiocrité.

«Déduis ce qu'il en coûte de mon salaire, petit père!» répliquait invariablement Francesco.

Son père ne le faisait pas, car vingt-six petits pains, ça coûtait trois fois rien.

Les clients — et les clientes — aimaient Francesco, de toute manière, et il était toujours au poste, boulanger et pâtissier irréprochable, au demeurant.

Dommage qu'il ne fût pas omniprésent comme Dieu! Il aurait pu sévir dans les deux autres boulangeries que possédait son père! Elles ne faisaient pas leurs frais, loin de là. À la vérité, elles mangeaient tous les profits de la populaire succursale du Village. Giorgio Giovanni ne le savait que trop. La faillite le guettait, si son cœur ne flanchait pas avant.

Pourtant il y avait un remède fort simple à tous ces problèmes, du moins à ses yeux de père.

22

Il suffisait que son fils épousât Angela Modeno, la fille d'un pros-père épicier.

Francesco deviendrait riche du même coup.

Finis les soucis financiers!

Car il aiderait sûrement son vieux père, non?

Mais Francesco ne semblait pas voir cette femme providentielle, même si son père lui donnait des coups de coude dans les côtes chaque fois qu'elle venait à la pâtisserie, ce qui arrivait au moins trois fois semaine.

Elle vint d'ailleurs à la boulangerie ce jour-là, vers huit heures. Plantureuse Italienne de trente-trois ans, à l'abondante chevelure noire, aux yeux de feu, elle faisait tout pour séduire Francesco, l'inondait de compliments, lui adressait des clins d'œil coquins, l'invitait à se balader dans sa Porsche décapotable, portait souvent des décolletés audacieux qui n'avaient pas d'effet sur lui, ce qui ne laissait pas de la confondre.

Était-il gai, comme la rumeur en courait?

Ou simplement indifférent à son charme, qui causait pourtant bien des ravages?

Peu importait, elle avait Francesco dans la peau. Fille de riche — après tout son père était propriétaire de cinq épiceries Metro! —, elle n'était pas habituée à ce qu'on lui dise non. D'ailleurs, elle trouvait que Francesco et elle avaient tout pour être heureux. Tous deux étaient Italiens, ils avaient le même âge, leurs pères œuvraient dans le même domaine.

Oui, bon, le sien était infiniment plus riche, mais elle s'accommoderait de cet écart de fortune. Rien n'est parfait. De toute manière, en lui mettant la bague au doigt, le modeste boulanger du Village deviendrait un homme riche. S'il finissait par se décider et, surtout, par comprendre qu'elle était la femme de sa vie. Certains hommes sont lents, mais quand ils sont beaux, les femmes leur donnent le bénéfice du doute et font preuve de plus de patience.

Moulée dans une robe d'été plutôt décolletée, Angela avait décidé ce matin-là de jouer une carte de plus : elle ne portait pas de soutien-gorge. Du reste il faisait chaud, et elle adorait se sentir nue sous ses vêtements.

Elle aurait aimé aller trouver tout de suite Francesco, pour voir si sa ruse opérait, et l'extirper enfin de sa torpeur amoureuse, mais il servait un homme en costume Hugo Boss, avocat de son état, marié et respectable père de trois enfants, qui pourtant tremblait lorsqu'il se trouvait en présence du beau boulanger. Angela nota son exécrable émoi — ce n'était pas la première fois qu'elle le voyait à la Boulangerie de Dieu, celui-là ! — et se demanda, irritée, ce qu'il faisait encore là à tenter inutilement de lui voler son futur mari.

— Francesco, c'est Angela ! lui dit son père.

— Je sers un client, papa…

— On s'en fout, maugréa Giorgio entre les dents, occupe-toi d'Angela !

Francesco remit à l'avocat ému sa petite boîte de carton qu'il allait mettre à la poubelle à la sortie de la boulangerie pour rester svelte et appétissant aux yeux de son troublant boulanger. Le père de Francesco sourit d'aise : Angela avait le chemin libre.

Mais un client dont on ne savait trop s'il était aux femmes ou aux hommes — peut-être les deux vu son anneau à l'oreille gauche — se jeta littéralement sur elle et la complimenta au sujet de ses yeux, alors qu'il ne cessait de plonger les siens dans la naissance de ses seins.

Le père de Francesco esquissa une moue de déception. Décidément, le sort — amoureux — de son fils ne se montrait guère favorable. Et ça n'arrangeait pas ses affaires !

C'est ce moment précis que choisit Gabrielle pour franchir la porte de la boulangerie et s'avancer vers le comptoir : elle avait eu envie, au beau milieu de sa promenade matinale, d'un millefeuille, son péché mignon.

Mais quand elle aperçut Francesco, elle en resta toute baba.

Lui aussi, qui avait entendu la clochette de la porte d'entrée et s'était tourné dans sa direction.

Il était ébloui, son cœur avait bondi.

C'était la femme que, sans le savoir, il attendait depuis trois ans.

Elle avait une élégance, une beauté, une pureté, plus encore une noblesse qu'il n'avait jamais cru possibles.

Était-ce sa blondeur, ou ses yeux clairs et bleus, clairs telle l'aube, clairs tel cet amour qui naissait en lui comme tout formé, parfaitement, dès le début, ainsi que, dit-on, naissaient dans l'esprit de Mozart la plupart de ses pièces ?

Elle s'avança vers lui, nerveuse elle aussi, le regarda longuement dans les yeux, sans rien dire.

Angela, qui feignait d'écouter les âneries que lui débitait le bi (peut-être), était témoin de ce coup de foudre évident et pensa que, maintenant, elle n'avait plus de temps à perdre. Elle ne pouvait risquer que cette stupide blondinette lui vole son bel Italien, ou que ce dernier commette l'erreur de sa vie en devenant pas son mari.

Après un long silence, Gabrielle murmura enfin :

— Je vais prendre un millefeuille. À la crème.

Francesco prit par nervosité amoureuse un éclair au chocolat.

La coiffeuse néophyte, ravissante ce jour-là dans son nouvel achat, une robe de coton rouge plutôt courte qui montrait ses cuisses athlétiques, esquissa un demi-sourire et précisa, mais fort gentiment, en levant le doigt :

— J'ai dit un millefeuille !

— Évidemment ! fit Francesco, embarrassé d'avoir ainsi été trahi par son étourderie.

Angela, qui avait noté la méprise de son beau et, fine mouche, la comprenait, s'en affola et se débarrassa un peu cavalièrement de son prétendant de fortune en jetant :

— Enchantée de vous avoir rencontré ! Passez un bon été !

Et elle s'avança très près du comptoir pour limiter les dégâts : *mieux vaut prévenir que guérir* ! Surtout avec de stupides et vains coups de foudre, réels ou imaginés !

Elle put voir Francesco mettre un millefeuille dans une petite boîte.

Il avait pris soin de choisir le plus beau, le plus gros, et dit, et cela tua Angela : « C'est gratuit pour les clients qui viennent pour la première fois ! »

Le père de Francesco grimaça, doublement contrarié. Son fils ne faisait pas de gentillesses à la bonne personne. Et en plus, vu l'état de leurs finances, des gentillesses, il n'avait pas les moyens de s'en permettre !

Il regarda Angela avec un air embarrassé, comme si son fils ne savait pas ce qu'il disait. Ou faisait. Et que de toute manière ça ne signifiait absolument rien, cette galanterie ridicule.

Que, du reste, Gabrielle ne nota pas. Dans son émotion, Francesco l'avait débitée d'une voix tremblante et pas tout à fait audible. Gabrielle tendit à Francesco un billet de cent dollars et partit sans attendre qu'il lui rende sa monnaie.

— Mademoiselle, c'est beaucoup trop ! Attendez votre monnaie !

Il n'avait pas eu le temps de la faire et chercha fébrilement quatre-vingt-dix-huit dollars dans le tiroir-caisse, pas une mince affaire, car la journée débutait à peine.

Il les compta aussi vite qu'il le pouvait, peu habitué à rendre autant de monnaie, et releva la tête, billets glorieusement en main.

Mais Gabrielle déjà franchissait le seuil de la porte. Il voulut naturellement la rattraper, cette cliente bizarre qui partait en abandonnant presque cent dollars derrière elle.

— Francesco, où vas-tu? fit son père, catastrophé.

Francesco ne l'entendit pas, obnubilé par l'idée de rejoindre Gabrielle. Angela, ulcérée et pourtant pragmatique, l'arrêta au passage et lui demanda:

— Je peux te commander un gâteau de mariage? C'est pour une amie qui se marie la semaine prochaine, un mariage italien de quatre cents personnes.

Son père, qui avait tout entendu, s'empressa de répondre:

— Pas de problème, ma belle Angela. Francesco va s'occuper de tout. N'est-ce pas, Francesco?

Francesco hésita quelques secondes, regarda Angela en souriant un peu bêtement. Heureusement, il y a un bon Dieu pour les amoureux. Parfois. Louisette, une employée de la boulangerie, sortait de la cuisine.

À vingt-cinq ans, c'était un véritable monstre, et ce n'est pas une image de style. Tout un côté de son visage avait subi une curieuse métamorphose avant la naissance. Son œil gauche était complètement fermé, et elle n'avait pas d'oreille gauche, comme si elle avait été amputée ou brûlée. En outre, la moitié de sa bouche était tordue en une grimace permanente, ce qui donnait un ensemble plutôt navrant. C'était difficile de ne pas avoir un mouvement de surprise horrifiée — et de pitié — en la voyant pour la première fois — et même les suivantes.

Comme elle n'avait pas, mais alors là vraiment pas, une tête pour travailler en public, elle était assignée à la cuisine mais trouvait toutes les excuses du monde pour venir voir le beau Francesco dont elle était follement éprise, sans espoir de retour. Car même si elle était laide, elle n'était pas sotte.

Francesco avait l'admirable gentillesse ou l'élévation d'esprit de la traiter comme une femme normale, il ne semblait même pas voir sa laideur monstrueuse et lui souriait constamment. Ce qui bien entendu rendait encore plus virulent l'inutile sentiment de Louisette à son endroit.

— Loulou, tu peux t'occuper de madame Modeno?

— Mais bien sûr!

C'était même une fête, un privilège pour elle de rendre ce petit service à l'homme qu'elle aimait depuis le premier jour.

«Loulou! ne put s'empêcher de pester intérieurement Angela. Il l'appelle Loulou! Ce monstre! Et moi, il m'appelle madame Modeno!»

Et en rageant, elle ajoutait pour elle-même: «Mais il faudrait peut-être que je m'éborgne et que je me coupe une oreille!»

Le père de Francesco, qui comprenait tout, porta sa main à son cœur. Il avait un point. Son fils était en train de tout gâcher.

Son fils qui, comme un véritable fou, laissait tout tomber derrière lui et se hâtait vers la porte, arrivait sur le trottoir déjà animé à cette heure, regardait non sans angoisse à gauche et à droite. Il aperçut enfin, *in extremis*, la belle Gabrielle qui, comblée, son millefeuille expédié en quatre bouchées gourmandes, léchant avec ravissement les derniers restes de crème sur son index, entrait chez Michel Ange, qui se trouvait presque en face de la boulangerie.

Et Francesco qui, comme Baudelaire qu'il n'avait pourtant jamais lu, trouvait qu'on passait à travers la Nature et la Vie comme à travers des forêts de symboles et de signes, pensa que les maîtres spirituels avaient raison: pourquoi chercher ailleurs ce qu'on a déjà en soi?

Dans ce cas-ci, de l'autre côté de la rue!

Son père le rejoignit sur le trottoir et, d'une voix autoritaire, comme si Francesco avait encore dix ans, lui intima :

— Francesco, viens servir Angela, elle menace de s'en aller, on n'a pas les moyens de rater la vente d'un gâteau de mariage pour quatre cents personnes !

Et pour lui-même, il pensa : « Et on a encore moins les moyens de rater ton mariage avec elle ! »

Francesco céda enfin et retourna à la boulangerie avec son père qui se frottait les mains, ravi.

23

Sœur Thérèse était désespérée.

Gabrielle, sa fille, sa raison de vivre, le soleil de sa vie, était partie.

Chaque heure, elle le réalisait davantage.

Et c'était chaque fois un clou de plus dans le cercueil de sa détresse infinie.

Gabrielle était partie, partie, partie, trois fois partie.

Pour toujours.

Et pour toujours absente.

Dans son désespoir de mère, sœur Thérèse accomplit la chose qu'elle rêvait d'accomplir depuis des années. Mais avant, juste avant, se plaçant devant le minuscule miroir de sa cellule, elle retira son voile.

Et elle se regarda, comme si elle voulait faire un examen de conscience, comme si elle espérait repérer sur son visage le rouge fil d'Ariane nécessaire. Pour s'extraire enfin du labyrinthe de son existence.

Elle pensait à l'homme de sa vie, bien sûr, et se demanda, comme on se demande tous un jour ou l'autre, pour ses amours, pour ses enfants, pour son travail…

« Est-ce que je fais la bonne chose ? »

« Ne suis-je pas sur le point de commettre une erreur, une bêtise ? »

« Me trouvera-t-il encore belle, encore désirable — après tant d'années ?

« Plus de vingt ans ! »

Elle n'avait pas pris un kilo, n'avait presque pas de rides, pas un seul cheveu blanc — et bien entendu elle ne se les teignait pas, coquetterie interdite par son ordre —, mais elle n'avait quand même plus l'éclat de ses vingt ans.

Vingt ans…

Elle se rappela leur première nuit — qui avait été un après-midi, ou une soirée à la sauvette, elle ne se souvenait plus au juste, car il était marié et les hommes mariés, c'est connu, n'ont pas toute la journée et surtout pas toute la nuit !

Elle aurait dû fuir, au lieu de le suivre, le cœur affolé, les mains moites.

Elle aurait dû fuir bien vite et bien loin au lieu de se laisser tout de suite déshabiller, dès que la porte s'était refermée derrière eux. Dans une suite du Ritz, quand même ! Il n'avait pas tous les défauts, il avait en tout cas les moyens de ne pas faire les choses à moitié, avait commandé du champagne même si, à dix-sept ans, elle n'était pas en âge d'en boire.

C'était du Veuve Clicquot, elle n'en avait jamais bu. Ni un autre champagne évidemment.

Elle aurait dû se méfier.

Oui, se méfier de ce détail, comme si dans cette marque prestigieuse se cachait la secrète annonce de son destin amoureux.

Car si la véritable et historique veuve Clicquot, née Barbe Nicole Ponsardin, était devenue veuve à vingt-sept ans, sœur Thérèse, elle, l'était devenue à vingt ans, âge où elle avait perdu son « mari », en même temps que leur enfant.

En contemplant ce sommaire de sa vie, sœur Thérèse se disait qu'elle n'aurait pas dû se laisser étourdir par les bulles exquises, par les murs tendus de satin rose et or, par les mains expertes et pourtant tremblantes de son amant.

Plus sage, elle n'aurait pas été obligée pendant tant d'années de tenter d'échapper à sa mémoire amoureuse. La plus douloureuse.

Enfin, après mille et une hésitations, sœur Thérèse appela le beau Armand Lenoux et, péremptoire malgré sa folle nervosité, lui dit :

— Si tu veux me voir, viens tout de suite au couvent ! Sinon on se reparle dans vingt ans.

— J'arrive ! dit-il aussitôt.

Elle raccrocha avec un sourire aux lèvres : son petit bluff avait marché.

Toute tremblante, elle alla dans le jardin de la Vierge attendre son ancien amant, son destin. Peut-être.

24

Le lendemain de sa rencontre avec Gabrielle, Francesco se demanda, avec une angoisse inhabituelle chez lui:

«Est-ce une erreur de tenter de revoir cet ange? N'est-ce pas pur égoïsme de ma part? Car il me semble que je porte malheur aux femmes que j'aime! Ne suis-je pas en train, tel un assassin qui se croirait seulement amoureux, de condamner cette jeune femme à subir un destin tragique — si du moins je ne pèche pas par prétention infinie: qui me dit, en effet, qu'elle voudra de moi?»

Pourtant, comme si le coup de foudre était plus fort que tout, ou le destin, dont c'est peut-être juste un autre nom, il demanda à Louisette de le remplacer quelques minutes à l'heure du lunch, lui qui mangeait toujours à la boulangerie par souci d'économie.

Elle accepta, bien entendu, mais il y avait de la tristesse dans son œil unique, car elle avait aussitôt deviné où il allait et pourquoi. Pas besoin d'être un génie, du reste, car il avait pris quatre-vingt-dix-huit dollars dans le tiroir-caisse et il avait placé délicatement un millefeuille dans une petite boîte blanche joliment enrubannée de rouge, non sans oublier d'y apposer le beau timbre doré de la boulangerie qui en annonçait le numéro de téléphone.

En plus, ce qu'il ne faisait pour ainsi dire jamais, il avait vérifié, dans le petit miroir de la boulangerie, ses cheveux luisants, dans lesquels Louisette avait tant de fois rêvé de passer la main.

Après une hésitation, il entra enfin chez Michel Ange, sans savoir d'ailleurs si Gabrielle y travaillait ou était simplement une cliente. Il s'était dit, en conclusion de sa méditation matinale sur sa malchance sentimentale, que si elle était seulement une cliente, il oublierait tout ça, mais que si elle était coiffeuse, alors c'était peut-être un signe que…

Que quoi?

Jamais deux sans trois?

Non, il lui fallait bannir ces pensées pessimistes, faire confiance à la Vie, ne pas croire qu'aimer la jeune femme la condamnait à une mort tragique — et lui à d'autres années de malheur assuré!

— Ah! si c'est pas le beau Francesco, dit Josette en le voyant entrer de son pas altier.

Il portait son uniforme blanc de boulanger, son bonnet, donc il devait travailler ce jour-là. D'ailleurs y avait-il des jours où il ne travaillait pas? Il ne semblait pas avoir de vie en dehors de la boulangerie. Si ce n'est, bien sûr, pour aider les pauvres et les sans-abri, une véritable épidémie dans le quartier.

Si Josette trouvait Francesco beau? Oui. Comme la plupart des femmes. Mais tomber amoureuse de lui? Non. Aussi bien avaler un flacon de comprimés ou s'ouvrir tout de suite les veines, s'était-elle dit sagement. De toute manière, elle était amoureuse d'un autre homme.

Carlo.

Qui était parti luncher avec sa minette…

Ce qu'il pouvait être vain, ou naïf! se répétait Josette.

Comme si les années que la jeune femme avait de moins que lui lui enlevaient celles qui rendaient ses tempes grises!

— De la visite rare, jeta Josette à l'endroit de Francesco, quel bon vent t'amène?

— Il nous apporte des pâtisseries! Moi, je n'en mange pas, je vis d'amour et d'eau fraîche, c'est mieux pour la ligne, plaisanta Paul, entre deux coups de ciseaux à sa cliente, tombée aussitôt sous le charme de Francesco, comme en témoignait l'hébétude de sa lèvre inférieure.

Francesco restait muet. Il avait aperçu Gabrielle, affairée à son comptoir, qui rangeait, entre deux clientes, peignes et brosses, dans son souci de l'ordre.

Josette comprit. Il était venu pour Gabrielle, coquette dans une jupette noire et un pull mauve.

Le boulanger s'approcha d'elle. Elle échappa la brosse qu'elle tenait dans sa jolie main, la ramassa et demanda :

— Tu es venu pour une coupe ?

Il n'était pas venu pour une coupe, mais il dit quand même :

— Euh… oui, mais aussi pour te rapporter ta monnaie et un petit quelque chose que tu aimeras peut-être.

Il lui remit d'abord les quatre-vingt-dix-huit dollars, qu'elle ne prit même pas la peine de compter, mais posa sur le comptoir, comme s'il s'agissait de menue monnaie. Puis le séduisant boulanger lui tendit la boîte, qu'elle ouvrit aussitôt.

— Un éclair au chocolat ! C'est gentil ! Mais je n'en mange pas !

— Un éclair au chocolat ?

Il était fou ou quoi ? Il était pourtant bien sûr d'y avoir mis un millefeuille ! Il se pencha sur la boîte, vit un millefeuille, sourcilla et regarda la coiffeuse :

— Je te taquinais ! le rassura-t-elle.

Il sourit, beau joueur. Vraiment beau joueur !

— Merci, ça va être mon lunch, mais je te fais la coupe avant ? demanda Gabrielle.

— Euh… oui, bien sûr.

Et il ajouta :

— Comme ça, tu es coiffeuse ?

— Ben oui, qu'est-ce que tu penses ? fit-elle avec une fierté infinie en montrant le salon, dont cinq chaises étaient inemployées. Oui, fière comme une fillette de sept ans aurait dit : « Je suis la préférée de papa » ou « Je suis la secrétaire de maman ! »

Car elle sentait qu'elle était la coiffeuse de Dieu.

De quoi se réjouir, non, avec pareil nom, pareille mission ? Et sans doute éprouverait-on tous semblable fierté légitime si on savait, si on comprenait qu'on est tous, ou pourrait tous être, du plus modeste au plus triomphant, le «quelque chose» de Dieu : le professeur, le médecin, le chauffeur d'autobus...

Mais on ne sourit pas. À la place, on se plaint.

«Qu'est-ce que tu penses ?» avait jeté Gabrielle.

Francesco ne pensait pas, justement.

Ou, plutôt, il pensait trop.

Enfin il ne savait pas, mais ça l'arrangeait diablement, la tournure que prenaient les événements, cette facilité, cette fluidité qui augurait bien, c'était certain.

Quelques secondes plus tard, Gabrielle lavait les cheveux de Francesco dans un des lavabos. L'eau était glaciale, et Francesco frissonna, un peu surpris, mais ne dit rien, il sourit même, comme si tout allait bien.

Il hésitait à faire un reproche à la jeune femme, mais à la fin, n'y tenant plus, il leva un index timide et expliqua :

— L'eau est un peu froide, est-ce que tu pourrais...

— Oh, excuse-moi !

Et elle ferma l'eau froide, mit l'eau chaude, faillit ébouillanter Francesco, amoureux, mais quand même pas suicidaire, qui se redressa. Josette, spectatrice, dodelinait de la tête. La petite débutante avait encore bien des choses à apprendre !

— Oh là, c'est vraiment trop chaud !

Gabrielle s'excusa à nouveau et enfin trouva une eau tiède. *In medio stat virtus* !

Cette expérience qui avait d'abord été périlleuse pour le pauvre Francesco, et qui en général est banale, devint troublante.

Car lorsque Gabrielle se mit à lui laver les cheveux, à lui caresser les tempes, à lui masser le cuir chevelu, il aurait voulu que ça ne s'arrête jamais. Il éprouvait des frissons délicieux.

En plus, la jeune femme appuyait parfois son ventre sur son épaule gauche !

C'était électrique, et il pouvait respirer son parfum qui n'en était pas un, mais la simple odeur de son savon de corps.

Quand Gabrielle s'arrêta et annonça assez platement à Francesco qu'il pouvait changer de chaise, il eut l'impression qu'elle l'invitait à passer à la chaise électrique, que sa vie s'arrêtait là… alors qu'elle ne faisait que commencer !

Il s'arracha difficilement du lavabo, marcha comme un homme ivre (de bonheur) jusqu'à sa chaise.

Sur le comptoir, il nota tout de suite une statuette de la Sainte Vierge et trouva que c'était un peu inhabituel, surtout en 2011, surtout dans un salon de coiffure du Village gai. Gabrielle l'avait apportée le matin, peut-être pour se donner confiance ou pour bénéficier de l'aide invisible de sa protectrice de toujours.

Peut-être aussi parce que, à peine deux jours après son départ, elle s'ennuyait déjà du couvent, dont elle avait perdu le numéro de téléphone, et de sœur Thérèse qui, de son côté, n'avait pas cessé de pleurer et avait refusé toute nourriture, comme si elle voulait se laisser mourir, même si elle avait revu Armand Lenoux.

Carlo avait grommelé un « c'est quoi, ça ? » lorsqu'il avait vu la petite nouvelle poser sa statuette sur le comptoir. La religion, ce n'était pas exactement sa tasse de thé ! Ni celle de la plupart de ses clients. Et avec tous les scandales sexuels qui éclataient depuis quelques années, et qui impliquaient des prêtres et même des évêques, ça pouvait nuire au business… Et comme, ces jours-ci, justement, le business était tout sauf florissant…

À la vérité, Carlo était tout de suite allé trouver Gabrielle et lui avait expliqué que ce n'était pas le style de la maison.

Josette avait immédiatement défendu sa collègue : cette statuette était minuscule, et même, ça faisait cool, branché, parce qu'il y avait plusieurs punks qui, tatoués d'un portrait de Jésus, venaient au salon pour une coupe de cheveux.

À la fin, Carlo avait cédé. Au fond, ce n'était pas très grave, et si des clients se plaignaient, il aviserait.

Couper les cheveux d'un homme, Gabrielle n'avait jamais fait ça, mais elle se dit que la tâche ne pouvait être très compliquée. Il y en avait juste moins à couper, ce en quoi elle n'avait pas tort, et elle aurait eu aussitôt la confirmation de sa théorie si elle avait consulté Josette. Cette dernière lui aurait dit en effet que jamais un homme n'avait fait une crise d'hystérie ou de larmes à la porte du salon parce que sa coiffeuse avait ruiné sa vie, compromis à jamais ses chances de succès amoureux en ne lui coupant pas les cheveux exactement comme il fallait.

Pourtant, au bout de trois coups de peigne, avant même d'avoir utilisé ses ciseaux, Gabrielle s'interrompit. Elle avait une drôle d'expression tout à coup.

Ses beaux yeux bleus s'étaient voilés, elle semblait regarder dans le vide, ou à l'intérieur d'elle-même, dans son âme si vaste.

Quelque chose d'inattendu se passait.

C'était si évident que Josette elle-même le remarqua.

25

·L'air bizarre, Gabrielle, ciseau en main, ne disait plus rien et regardait avec émotion la statuette de la Vierge.

Francesco, qui s'étonnait de la longueur de la pause, se tourna vers la jeune femme et lui demanda :

— Est-ce qu'il y a un problème ?

Gabrielle expliqua :

— C'est Mère, elle me parle.

— Je ne suis pas sûr de comprendre. Tu dis que ta mère…

— Je veux dire Marie…

— Marie ?

— Oui, la mère de Jésus. Elle me parle souvent.

— Elle te parle ? s'étonna Francesco.

— Oui.

À côté d'eux, Josette, qui pouvait tout entendre, fronçait les sourcils, intriguée.

Le regard encore absent, Gabrielle entreprit de livrer son mystérieux message :

— Mère dit que tu as eu deux gros chagrins à cause de deux femmes qui sont mortes jeunes.

— Quoi ? Je…

Francesco bafouillait, estomaqué. Comment cette jeune femme pouvait-elle connaître ses infortunes amoureuses ?

Gabrielle poursuivait la singulière lecture de son âme :

— Mère dit que ce que tu croyais être un échec, un malheur, était une grâce du Ciel, pour corriger une faute ancienne et affermir ton caractère : c'était le travail de ces femmes sur cette terre. La souffrance est la servante de Dieu.

Francesco était ému comme il ne l'avait jamais été.

Comment cette jeune femme qui ne le connaissait ni d'Ève ni d'Adam, à qui il n'avait rien dit de sa vie, pouvait-elle savoir toutes ces choses intimes sur lui ?

Il tenta de se raisonner. Peut-être, au fond, n'était-elle qu'une diseuse de bonne aventure dont les prédictions sont des malles si vastes que chacun peut y mettre ce qu'il veut : ses rêves, ses illusions, ses délires.

Gabrielle se tut un instant et ajouta :

— Mère dit aussi que tu vas rencontrer une autre femme, que ce sera l'amour de ta vie. Mais au début, tu croiras que le gant qu'elle te tend ne convient pas à ta main.

— Ah ! fit Francesco, tout aussi ému que médusé par la poésie un peu obscure de cette annonce faite par Marie.

Josette avait tout entendu. Enfin presque, parce que, toutes les dix secondes, elle devait laisser tomber, idéalement avec à propos, tantôt un « vous ne me dites pas ! », tantôt un « c'est pas vrai ! », ou encore un « les hommes ! » pour meubler commodément la conversation avec sa cliente, une quinquagénaire qui se plaignait de son mari.

Josette pensait : « Elle est songée, la jeune ! » Pas la maîtresse du mari de sa cliente, bien sûr, mais la nouvelle coiffeuse. Elle pensait également, avec excitation : « J'aimerais ça qu'elle me dise mon avenir, à moi aussi, parce que depuis un bout de temps, il me semble justement que je n'en ai plus. En tout cas avec Carlo. Et comme je ne me vois pas d'avenir sans lui… »

— Mais cette femme, osa demander Francesco, est-ce que la Sainte Vierge a précisé où j'allais la rencontrer et quand ?

— Attends, je lui demande…

Mais elle resta muette. Francesco, interloqué, dit :

— Tu ne le lui demandes pas ?

— Je le lui demande dans ma tête, c'est comme une prière.

— Ah ! je vois. Et est-ce qu'elle te répond ?

— Oui, elle répond que si tu veux connaître ton avenir, tu as juste à épousseter le petit miroir de ton cœur.

— Ah ! fit-il en dissimulant avec peine sa déception, car c'était peut-être poétique et philosophique, comme affirmation, mais ce n'était pas tout à fait ce à quoi il s'attendait.

Il aurait évidemment préféré plus de précision.

Et un nom.

Et que ce nom fût le nom de la jeune coiffeuse.

D'ailleurs il pensa alors qu'il ne lui avait même pas encore demandé son nom !

26

— T'as vraiment l'air de lui plaire, remarqua Josette en regardant le boulanger déçu sortir du salon, dès sa coupe de cheveux terminée.

Il serait volontiers resté pour bavarder avec la jeune coiffeuse, mais il ne pouvait laisser trop longtemps à la caisse la borgne Louisette.

— Pourquoi dis-tu ça ? demanda Gabrielle.

— Ben, t'as pas vu la manière dont il te regardait ? expliqua Josette.

— Non, répondit Gabrielle, qui ne connaissait encore rien des émois amoureux.

La discussion se serait sans doute poursuivie, mais une cliente entrait, Laurence Lemieux, une brunette de quarante ans avec juste un peu de rondeurs, d'ailleurs bien dissimulées sous une robe assez ample. Son visage, ses yeux noisette, sa bouche étaient toujours en mouvement et trahissaient son agitation intérieure.

Josette et Paul étaient occupés.

Gabrielle n'eut d'autre possibilité que de la prendre, avec plaisir du reste.

Il y avait à peine une minute qu'elle s'affairait sur sa tête qu'elle sentit toute la détresse morale de la cliente.

— Oh ! dit-elle de la voix la plus douce du monde, ça ne va pas, mais alors vraiment pas, votre vie ?

— Comment as-tu deviné ?

Et sans lui laisser le temps de répondre, absorbée dans son malheur, qui se traduisait par un soliloque, comme chez bien des gens, Laurence Lemieux expliqua :

— C'est mon mari, il est parti.

— Ah ! désolée !

— On a été mariés dix ans, mais les trois dernières années ne comptent pas vraiment, il ne me touchait même plus le petit orteil, comme si j'étais la femme invisible.

La femme invisible, Gabrielle ne la connaissait pas, pas plus qu'elle ne connaissait l'Homme invisible, populaire personnage du roman de Wells, puis de la télé des années soixante, bien avant sa naissance.

— Le problème, poursuivait madame Lemieux, c'est qu'il a rencontré une autre femme qui lui a fait perdre la tête. Moi, je sais que c'est un feu de paille, que c'est moi qu'il aime d'amour vrai. Mais il est pas capable de le voir, et ça le dérange pas que j'aie le cœur en mille miettes comme un biscuit soda que tu écrabouilles au-dessus de ta soupe. Des fois, je me dis : t'es folle de l'attendre ! Mais est-ce que j'ai vraiment le choix ? Tu choisis pas ça, le grand amour, c'est pas comme un motel à Old Orchard ou une cuisse de poulet au Saint-Hubert !

Josette, qui avait entendu la fin de la réplique, dut réprimer un éclat de rire. Pourtant, ce que disait cette cliente au sujet du grand amour ne manquait pas de sens. Il n'était pas facile d'y échapper, une fois qu'il t'avait mis le grappin dessus, et ce, même s'il te tuait et que tu savais qu'il te tuait.

— C'est vrai, se contenta d'approuver Gabrielle, car elle n'avait aucune idée où se trouvait Old Orchard et n'avait jamais mis le pied au Saint-Hubert.

— Mon problème, au fond, reprit Laurence Lemieux, c'est que j'ai pas fini de l'aimer, alors je fais mon jeu de patience toutes les nuits.

— Votre jeu de patience?

— Oui. Mais des fois, je me dis, si je pouvais prendre une pilule pour l'oublier, je la prendrais. Puis tout de suite je me dis: t'es-tu folle, ma pauvre Laurence? L'amour de ta vie, tu rencontres pas ça cinquante-six fois. Si tu l'oubliais, il te resterait quoi, après?

— Je…

Madame Lemieux la coupa:

— Si j'étais pas si mal faite dans le domaine des grands sentiments, je dirais oui aux petits messieurs qui me tournent autour comme des vautours. Mais entre toi et moi, ça me donnerait quoi de dire oui à leurs courbettes qui ont juste pour but la couchette? Quand t'as connu le champagne, côté cœur, est-ce que t'as envie de boire de la piquette?

— Non. Probablement pas, je…

Pendant que Josette se mordait les lèvres, les yeux de Gabrielle se voilèrent. Elle entrait à nouveau dans cet état particulier, difficile à décrire et encore plus difficile à comprendre, où elle pouvait entendre la voix de la Vierge Marie.

Et voilà ce qu'elle avait à annoncer à sa cliente:

— Mère dit qu'il faut arrêter de pleurer, de vous inquiéter. Ça ne donne rien. La tristesse, ça n'attire jamais le bonheur.

— Mais… c'est qui, mère?

— Ben, la Sainte Vierge.

La cliente tendit un doigt vers la statuette sur son comptoir.

— Tu parles à la Sainte-Vierge?

— Oui. Depuis que je suis jeune.

Incrédule, la cliente se tourna vers Josette, qui hocha la tête en expliquant:

— Elle a vraiment un don.

— Alors, dépêchez-vous, dites-moi tout! fit madame Lemieux, excitée.

Une pause, un sourire modeste, et Gabrielle lui révélait:

— Mère demande que vous vous prépariez au retour de votre mari.

— Mais pourquoi?

— Elle ne donne pas toujours des explications, désolée.

— Ah! bon.

— Mais elle donne des instructions.

— Vraiment?

— Oui. Elle dit de mettre l'assiette de votre mari sur la table comme s'il allait venir pour souper, de faire jouer la musique qu'il aime, de vous imaginer en train de danser avec lui.

— Danser avec lui?

— C'est ce qu'elle dit.

— On dansait même pas ensemble quand on était mariés!

— C'est peut-être une image, osa intervenir Josette.

— Une image, peut-être, mais pas une image très drôle. Elle ressemble trop à mon mariage. J'aurais tellement aimé que, mon mari et moi, on danse.

— Écoutez, c'est ce que Mère me recommande pour vous, dit Gabrielle.

— Peut-être, et vous êtes bien gentille de tenter de me redonner de l'espoir comme ça, avec l'assiette de mon mari, la musique, la danse… Mais je ne sais pas si je crois à toutes ces histoires-là. Bien sûr, c'est la mode, les anges, Jésus, la Sainte Vierge. Mais si elle existait vraiment, votre mère, comme vous l'appelez, pourquoi elle aurait permis que mon mari me laisse pour une vaurienne qui l'aime juste pour son argent?

Gabrielle ne parut pas insultée. Elle se recueillit, assez longuement, puis elle expliqua, le plus calmement du monde :

— Si ça peut vous convaincre que c'est vrai, Mère dit que votre mari n'a pas de petit doigt, du côté de son cœur.

— Elle… elle a dit ça? fit Laurence Lemieux, visiblement ébranlée.

Et elle se mit à sangloter.

— Ça signifie quelque chose pour vous ? l'interrogea Gabrielle.

La cliente parvint à contenir ses larmes.

— Mon mari, dans sa jeunesse, a eu un accident de moto, et il a perdu le petit doigt de la main gauche.

27

Suprêmement nerveux, Francesco attendait à la sortie de chez Michel Ange.

Par une prudence dictée par sa timidité, il s'était posté de l'autre côté de la rue, devant l'animalerie. Dans la vitrine toute peinturlurée de réclames de spéciaux uniques, les deux petits compagnons de Juliette sautaient de plus belle dans leur cage, car ils croyaient le boulanger désireux de les acquérir. Mais lui ne les voyait pas, les yeux rivés sur la porte du salon de coiffure.

Gabrielle ne devrait pas tarder à quitter le salon.

Quelques minutes plus tôt, Carlo était venu fermer la porte, qu'il avait rouverte à deux occasions pour laisser sortir des clientes.

Elle parut enfin.

Francesco allait traverser la rue pour la retrouver lorsqu'il vit Jonathan, son coloc, qui se pressait vers elle, comme s'il avait craint d'arriver en retard à leur rendez-vous. Il portait Juliette sur sa poitrine, dans un de ces porte-bébés réservés aux poupons. Gabrielle trouva la surprise irrésistible, sauta de joie, caressa son petit yorkshire puis laissa Jonathan défaire le porte-bébé et l'aider à le passer sur elle. Sur sa poitrine. Elle regarda avec attendrissement Juliette, serrée contre son cœur : elle l'aimait déjà comme son enfant !

Jonathan sourit d'aise puis frotta son pouce et son index, avec un haussement de sourcils qui disait tout. Gabrielle comprit tout de suite et lui tendit avec insouciance un billet de cent dollars, qu'il empocha aussitôt. Cela fit une drôle d'impression à Francesco, qui avait tout vu, avec la vision maniaque que seuls donnent l'amour et le génie.

Il eut un désagréable pincement au cœur, pour un peu il se serait cru cardiaque comme son père.

« Ils se connaissent, c'est sûr! songea-t-il, affolé. Non seulement ils se connaissent, mais… ils sortent ensemble, sinon pourquoi lui donnerait-elle pareille somme? »

Ils sortent ensemble!

Ah! expression cruelle!

Comme si ce n'était pas assez — et cela ne faisait que confirmer la certitude horrible de Francesco —, Jonathan embrassa Gabrielle, seulement sur les deux joues, mais quand même!

Puis il ébouriffa la jolie tête de Juliette et partit.

Malgré sa contrariété, ou pour mieux dire sa déception, Francesco prit la jeune femme en filature jusqu'à l'épicerie la plus proche, dans laquelle il n'osa pas la suivre.

De toute manière, elle n'y resta pas longtemps, mais en ressortit quelques minutes plus tard, avec un seul sac de plastique. Elle avait acheté des fruits, du lait, du miel et des amandes.

Elle reprit sa promenade dans le quartier.

Francesco, lui, reprit sa filature amoureuse.

Dans la vitrine d'un antiquaire, Gabrielle repéra une chaise haute décolorée.

Elle ne put résister à la tentation de l'acheter, d'autant qu'elle coûtait seulement cinquante dollars.

De toute manière, l'argent ne signifiait rien pour elle, puisqu'elle n'avait jamais dû en gagner et en avait plein les poches.

Lorsqu'elle ressortit de chez l'antiquaire avec la vieille chaise haute, Francesco, qui l'avait attendue à la porte, éprouva une inquiétude: avait-elle un enfant?

Ou en attendait-elle un, malgré la sveltesse irréprochable de sa taille ?

Ça ébranla son sentiment.

N'était-ce pas inutile de continuer à la suivre ?

Mais c'était plus fort que lui.

Même si ce qu'il découvrait d'elle n'était guère plaisant, c'était mieux que... de ne pas la voir.

De ne pas savoir.

Aussi, le cœur battant, la suivit-il jusqu'à sa destination finale : le *tourist room*.

Et c'est avec effroi qu'il la vit en pousser nonchalamment la porte et y entrer.

Il n'en revenait tout simplement pas !

Son désarroi augmenta encore lorsqu'il vit une blonde platine aux hautes bottes de cuir, visiblement une prostituée — il avait raison, c'était Simona —, la suivre, en compagnie d'un client.

Doublement éberlué, Francesco se remémora malgré lui la scène où, devant le salon de coiffure, Gabrielle avait remis de l'argent à Jonathan, comme une prostituée à... son *pimp* !

Il fit un plus un.

Quelle déconvenue !

Et pourtant, elle semblait si pure, si romantique !

Il resta un moment effondré, révolté, déçu, en tentant de comprendre. Non, c'était impossible ! Il eut pourtant la confirmation de son doute lorsque, à peine trois minutes plus tard, comme il s'était attardé sur le trottoir en face du *tourist room*, il vit Jonathan arriver et y monter, les bras chargés de paquets.

Le jeune boulanger rentra chez lui, le cœur brisé, avec la pensée que peut-être, au fond, il n'était pas né pour l'amour, et que, en tout cas, Gabrielle n'était pas la jeune femme que lui avait annoncée la Vierge Marie.

28

Jonathan ressortit de la minuscule salle de bain du *tourist room* avec ses « vêtements de travail » : un pantalon de cuir noir très serré, des bottes de cow-boy, un t-shirt rose délavé, avec un imprimé montrant un couple qui valsait. Ça faisait plutôt inattendu comme motif, parce que la valse, pour un jeune homme de son âge, c'était assez démodé, merci. En outre, il s'était maquillé, avait rosi ses lèvres, rehaussé le mystère de ses yeux verts par d'assez savantes touches de mascara.

Il sourit largement, leva les bras, les paumes vers le plafond comme un magicien ayant sorti un lapin d'un chapeau ou faisant disparaître son assistante dans un cercueil, et demanda à Gabrielle :

— Qu'est-ce que tu en penses ?

Elle ne savait pas trop de quoi il parlait, remarquait pourtant que ses yeux étaient différents, sans s'expliquer la transformation.

— Qu'est-ce que je pense de quoi ?

— Ben, de ma petite composition.

— Euh… oui, c'est bien.

— Et mes yeux ? Réussis ou quoi ?

— Oui, réussis. Félicitations.

— Félicite plutôt Estée Lauder !

— Je ne la connais pas.

Jonathan fit une moue. Se payait-elle sa tête ? Ne pas connaître Estée Lauder, surtout une jeune femme de son âge ? Bizarre. Il faut dire qu'elle ne semblait pas porter de maquillage, elle était toujours au naturel, en tout cas depuis qu'il l'avait rencontrée.

Quand même...

Un ange passa.

— On mange ? suggéra Gabrielle en désignant non sans fierté la table, toute préparée.

Il y avait, dans les deux assiettes flanquées d'un grand verre de lait, une épaisse tranche de pain croûté, quelques amandes et une pomme.

Pas exactement l'idée que Jonathan se faisait d'une bonne bouffe. Il s'efforça de sourire, ce qui était facilité par un détail : la jeune femme avait mis le couvert non pas pour deux mais pour trois.

En effet, elle avait assis la petite chienne Juliette dans la chaise haute qu'elle venait juste d'acheter au brocanteur, plaçant un gros coussin sous son charmant arrière-train, pour qu'elle puisse atteindre la tablette. Et elle lui avait commodément mis une bavette, en réalité une serviette de table, comme à un bébé.

Jonathan s'avança vers la table, considéra le menu avec scepticisme, avisa les amandes, le pain.

Gabrielle s'assit, lui resta debout.

— Tu... tu ne t'assois pas ? Tu n'as pas faim ?

— Euh... je suis allergique aux amandes et au lait, mentit-il sans le moindre embarras, car il s'était bien jeune habitué au mensonge, vu ses amours coupables dans la petite ville conservatrice de Saint-Jérôme.

— Ah ! je ne savais pas, désolée.

— Et le pain, c'est trop engraissant, il faut que je garde la ligne. Métier oblige.

Il ne précisa pas lequel. Il se gardait encore une petite gêne. Pourtant, contre toute attente, il prit les amandes et les fourra dans sa poche. Elle n'osa lui demander pourquoi ce paradoxe, même si elle trouvait la chose curieuse. Elle trouvait aussi étrange son caprice pour le pain, car elle se rappelait qu'il avait dévoré ses sandwichs au jambon avec moutarde de Dijon.

— Viens, je t'emmène manger ailleurs! suggéra Jonathan avec enthousiasme. Tu vas aimer, je suis sûr, c'est une institution sur la *Main*.

Une institution, elle n'était pas sûre de ce qu'il voulait dire par là, et la *Main*, elle n'avait aucune idée de ce que ça pouvait être.

— Oui, pourquoi pas! répliqua-t-elle, ouverte à tout.

Mais avant, bien sûr, elle retira Juliette de sa chaise haute, lui ôta aussi sa bavette de fortune et lui servit son repas. Juliette la regardait avec un air piteux, style: «Tu pars déjà, petite maîtresse adorée, tu m'abandonnes à mon sort?»

Gabrielle le comprit, lui donna un supplément de caresses et des assurances diverses, dont la plus importante, la seule qui comptait vraiment au fond: «Maman va rentrer tôt.»

En descendant l'escalier du *tourist room*, Jonathan et Gabrielle croisèrent Simona. Elle montait à sa chambre habituelle avec un curé qui, distrait ou impatient, avait oublié de retirer son collet romain.

— Bonjour, mon père! lui lança gentiment Gabrielle avec un grand sourire.

Affolé, le religieux porta tout de suite la main à son cou, comme pour cacher son collet qui venait de le trahir.

— Ah vous êtes curé? feignit de s'étonner Simona avec un accent russe prononcé.

— Euh... oui, je... était bien forcé d'admettre l'ecclésiastique à la morale plutôt élastique.

— Dans ce cas, trancha Simona, vraiment irrésistible avec sa jupette de cuir noir, le tarif est doublé.

— Ah! bon, fit le prêtre.

Et il lui allongea en maugréant les dollars supplémentaires.

Il aurait aimé tourner les talons, mais il aurait perdu ce qu'il avait déjà donné, car il fallait tout payer d'avance avec Simona. Elle ne voulait surtout pas avoir à négocier après l'acte, réussi ou pas, ou mettre un compte en recouvrement chez Equifax!

29

— Je t'ai dit de ne pas faire ça! Tu es folle ou quoi? tempêta Jonathan.

Ils roulaient en Jag vers la rue Saint-Laurent, sur René-Lévesque, et Gabrielle, croisant un policier, lui avait fait spontanément un doigt d'honneur ainsi que le lui avait malicieusement enseigné sœur Thérèse.

Réprimandée, Gabrielle retira sa main coupable.

Le policier, heureusement, n'avait pas noté son geste provocateur. La jeune femme se tourna vers Jonathan, qui s'allumait une cigarette avec une nervosité infinie.

— Qu'est-ce qu'il y a? demanda-t-elle, notant son tremblement.

— Arrête juste de faire ce geste stupide! Tu vas finir par me foutre dans la merde.

Il ne voulut pas lui dire pourquoi.

Pas tout de suite.

Il prit deux bouffées rapides, qu'il eut tout de même la délicatesse de souffler par la vitre ouverte de la Jag, en hochant la tête comme s'il se demandait sans fin ce qu'il faisait avec cette femme bizarre.

Mais l'excentrique jeune femme payait le loyer sans sourciller, conduisait une Jaguar et venait de lui allonger un billet de cent balles, tiré d'une enveloppe pleine de fric.

Ele n'avait pas que des défauts, en somme.

Dix minutes plus tard, ils passaient devant le Café Cléopâtre, un club de danseuses nues qui n'avait d'égyptien que le nom, et qui annonçait des spectacles continuels avec deux dessins de femmes aux seins nus.

Gabrielle arrondit les yeux. C'était une nouveauté dans sa vie, un bar *topless*.

Ils entrèrent au Montreal Pool Room, la véritable institution de la *Main* qu'avait annoncée Jonathan.

Dans un décor démodé, on servait à une clientèle bigarrée composée d'étudiants, de touristes, de gens d'affaires pressés, mais aussi de sans-abri et de prostituées, les soi-disant meilleurs hot dogs *steamés* au monde.

— C'est moi qui t'invite! décréta Jonathan.

Facile à dire: il venait de la taper de cent beaux dollars!

— Qu'est-ce que tu mets dans tes hot dogs? lui demanda-t-il, fort galamment, devant le comptoir.

— Euh…

Qu'est-ce qu'elle mettait dans ses hot dogs?

Elle ne savait pas, vu qu'au couvent ce n'était jamais au menu.

L'employé, un sexagénaire prématurément ridé par la fumée et le café, attendait, l'air blasé, qu'elle réponde à cette question pourtant fort simple. Gabrielle regarda l'affichette publicitaire au-dessus du comptoir, vit la photo du hot dog, murmura:

— Euh… une saucisse, un pain…

Jonathan éclata de rire:

— Tu es une petite drôle, toi! Non, sérieusement, tu mets quoi dans tes hot dogs?

— La même chose que toi, dit finement Gabrielle.

— *All dressed*, conclut Jonathan après avoir haussé les épaules. Avec frites, s'il vous plaît et un *Coca diet*.

L'employé dodelina de la tête, heureux d'être enfin informé des banales préférences de ses clients.

Quelques minutes plus tard, ils étaient attablés, et Gabrielle se régalait.

Vraiment.

Les hot dogs, elle adorait.

Et les frites, qu'elle mangeait pour la première fois aussi, c'était vraiment unique.

— C'est gastronomique! ne put-elle s'empêcher de dire.

— Tu trouves? fit Jonathan en arrondissant les yeux, se demandant à nouveau si elle se payait sa tête ou quoi et de quelle planète elle pouvait bien venir, et mieux encore de quelle galaxie. Lointaine.

— Oui, c'est *vraiment* bon.

Sa sincérité était évidente, comme si elle était régalée pour la première fois de sa vie par Bocuse ou Wolfgang Puck, soyons modernes!

— Attends, je vais te faire triper encore plus, annonça Jonathan.

— Triper?

— Oui, je veux dire capoter.

— Je vois, fit-elle même si elle ne voyait pas, mais alors là pas du tout, car elle ne connaissait pas plus le mot «capoter» que le mot «triper».

Sourire intrigant aux lèvres, Jonathan s'empara de la bouteille de ketchup Heinz et en mit un petit peu sur les frites de Gabrielle.

— Goûte!

Elle obtempéra.

Goûta une première frite rehaussée de ketchup.

S'extasia aussitôt.

Arracha à Jonathan la bouteille de ketchup.

En aspergea littéralement ses frites.

Se vautra.

— Ah! C'est vraiment divin. Quand je vais faire découvrir ça à sœur Thérèse, elle va… triper. C'est ça qu'on dit?

— Sœur Thérèse? Tu as une sœur? Tu n'es pas seule de ta race? ironisa Jonathan.

— Euh… non. Je n'ai pas de sœur, enfin… pas que je sache. Je n'ai même pas de mère.

— Ben, tout le monde a une mère.

— Je sais, mais la mienne, je ne l'ai jamais connue. Elle m'a abandonnée à ma naissance à la porte d'un couvent.

— Ah je… je comprends…

Ça expliquait la bizarrerie de la jeune femme.

Pas toute, mais au moins en partie.

Il n'y a pas de petits bénéfices dans les relations humaines.

Ni dans la compréhension de la folie coutumière des autres.

Si bien que…

Là, au Montréal Pool Room, devant ces banals hot dogs aspergés de non moins banal ketchup Heinz, Jonathan éprouvait une véritable émotion.

— C'est sœur Thérèse qui m'a élevée, expliqua Gabrielle. Ensuite, un ange m'est apparu et m'a dit que je devais partir vers la ville avec une vieille bête, c'est ma Jaguar, et une enveloppe de trois mille dollars dedans.

— Évidemment, fit Jonathan, totalement médusé.

— J'ai une mission à accomplir.

— Comme tout le monde, approuva le jeune homme qui, le sourcil arqué, ne voulait pas la contrarier : elle était vraiment trop bizarre pour lui. Est-ce que je peux ravoir le ketchup?

Il le lui reprit sans attendre sa réponse et en répandit en abondance sur ses frites, comme s'il cherchait dans ce geste un remède à son ahurissement.

Trois ou quatre frites inondées de ketchup plus tard, il dit :

— Secret pour secret, je…

Une petite hésitation, un regard oblique vers les autres clients près d'eux. Il y avait un quinquagénaire très mal habillé, avec une barbe de trois jours.

Il y avait aussi une péripatéticienne qui sirotait un café, perdue dans ses pensées, qui avait vingt-trois ans, mais en paraissait déjà trente : la rue, la coke, le chagrin.

Rassuré par cette brève vérification, Jonathan avoua, à voix basse :

— Je suis recherché.

— Par qui ?

— Ben, par la police !

— Pourquoi ?

Le jeune homme jeta à nouveau des regards inquiets autour de lui, pour s'assurer que personne ne les avait entendus.

— La police pense que j'ai voulu tuer mon ami, Louis. Mais c'est son père qui est responsable de tout. Quand il a découvert le pot aux roses, il est devenu fou de rage. On dansait dans la chambre de Louis, on répétait pour la compétition.

— La compétition ?

— Oui, expliqua-t-il en touchant les danseurs sur son t-shirt, on fait des concours de danse, et on se tapait une petite pause pour s'embrasser entre une valse et un tango. Est-ce que c'est un crime ?

— Non, voyons…

— Bref, le père de Louis lui a sauté dessus, et comme c'est un ancien boxeur, et que Louis, les seules choses avec lesquelles il sait se battre, ce sont les rimes dans les poèmes ou les faux pas sur un plancher de danse, ç'a été un vrai massacre. Il est à l'hôpital de Saint-Jérôme. Dans le coma.

Les larmes lui montèrent aux yeux. Il détourna la tête, comme s'il ne voulait pas que Gabrielle vît son émotion. Il ajouta :

— Son père a menti à la police. Il leur a dit que c'était moi qui l'avais battu.

— Et c'est pour ça que tu es recherché ?

— Et c'est pour ça que je suis recherché. Et que tu ne dois pas attirer l'attention des policiers.

— Mais ce n'est pas toi qui l'as frappé ! s'indigna Gabrielle.

— Ils vont croire qui, tu penses ? Un petit raté gai ou le distingué maire de Saint-Jérôme ?

Gabrielle n'eut pas le temps de répondre. Jonathan venait de recevoir un texto. Il crut, ou plutôt espéra follement, que Louis était revenu à lui et le contactait.

Il vérifia sur son BlackBerry, plissa les lèvres, maugréa.

Ce n'était pas Louis, mais un « ami », pour mieux dire un client.

— Il faut que j'y aille, décréta-t-il. *The show must go on* !

Il se leva, mais se rassit aussitôt, en rentrant la tête dans les épaules.

Gabrielle était intriguée.

Un policier venait d'entrer dans le célèbre boui-boui.

Il avait tout de suite repéré la prostituée assise près de Gabrielle et de Jonathan. Il la connaissait visiblement. Peut-être l'avait-il déjà arrêtée. Ou avait-il couché avec elle. Ou les deux. En tout cas, il lui décocha un sourire.

Qu'elle lui rendit.

Mais aussitôt qu'il lui eut tourné le dos, elle lui fit un doigt d'honneur bien senti. Il n'avait sans doute pas été très correct avec elle. Ou avec son *pimp*, si elle en avait un.

Le geste non équivoque plongea Gabrielle dans une confusion extrême. Elle se gratta la tête.

Était-ce ainsi ou non qu'il fallait saluer les policiers ?

Qui avait raison ?

Jonathan ou sœur Thérèse ?

La question restait ouverte.

Elle voulut la poser à Jonathan, qui le vit dans son air médusé, mais il ne lui en laissa pas le temps, se leva à nouveau et, cette fois-ci, quitta pour de bon le Montreal Pool Room.

30

Jonathan n'eut pas à faire bien longtemps le pied de grue au coin de Sainte-Catherine et de Sainte-Élisabeth, où il aimait exercer son art.

Une petite Mazda noire, conduite par un homme d'une trentaine d'années, s'immobilisa devant lui. Il nota qu'il y avait un siège pour enfant à l'arrière, mais pas d'enfant dedans. Il sourit.

Monta.

Annonça tout de suite son tarif.

— C'est cent dollars. Payables d'avance.

Il déclina ses exigences :

— Si tu veux une chambre, c'est toi qui paies. Sinon je connais des parkings tranquilles.

Le client eut une hésitation, détailla Jonathan. Celui-ci était vraiment appétissant, avec son pantalon de cuir bien serré, son t-shirt rose. Lui était replet, presque chauve déjà malgré son jeune âge, et il transpirait, vu que sa clim ne fonctionnait pas. Il était trop fauché pour la faire réparer. Mais pas au point de se priver de sa petite fantaisie hebdomadaire — un homme — qui lui permettait d'oublier qu'il n'aurait peut-être pas dû se marier. Sa femme, elle, voyait un psy, car il l'avait convaincue que c'était elle le problème dans leur couple.

Une fois son idée arrêtée, l'homme tira son portefeuille de sa poche arrière, donna cinq billets de vingt à Jonathan, après les avoir recomptés par deux fois pour être sûr qu'il n'en donnait pas un de trop. Quel radin! pensa Jonathan.

Il fit alors mine de remarquer pour la première fois le siège pour enfant et exécuta son petit numéro :

— T'as pas honte ?

— Honte ? s'étonna le client.

Jonathan se tourna vers le siège pour enfant.

— Ça me fait vomir, un père de famille qui trompe sa femme, avec un prostitué, névrosé, mineur.

— Tu es mineur ?

— Ben oui! Qu'est-ce que tu penses ? Tu veux voir mon passeport ? Est-ce que j'aurais un corps d'enfer et tous mes cheveux si j'avais ton âge ?

L'homme se passa spontanément la main sur son crâne déjà fort dégarni.

— C'est vraiment dégueulasse, ce que tu es en train de faire ! Si je n'étais pas là comme un bon Samaritain pour t'empêcher de commettre une gaffe qui peut gâcher toute ta vie, je ne sais pas ce que tu deviendrais. En plus, je suis recherché par la police.

— Tu es recherché ?! s'exclama l'homme, atterré.

— Oui! Pour tentative de meurtre. Alors tu vas me faire le plaisir d'aller retrouver ta femme, de t'ouvrir une petite bière sans alcool, un gros sac de chips et d'écouter *Star Académie*. Sinon je mets ta photo sur mon Facebook, et dans quinze minutes, toute la ville va parler de toi, et ce sera pas avec Guy A., crois-moi!

Jonathan sortait son BlackBerry comme s'il voulait immortaliser la tête débinée de son client.

— OK, OK, j'ai compris! fit-il en se protégeant le visage de sa main affolée par cette possible célébrité. Rends-moi mon argent et on oublie tout !

— Te rendre ton argent ? Mais t'es fou! C'est pas mon problème si tu as changé d'idée parce que tu t'assumes plus.

— Moi? Ne plus m'assumer ? Mais c'est toi qui…

Jonathan brandissait à nouveau son cellulaire, le menaçant de clichés et d'une vaste publicité.

— OK, OK, renonça le client qui se cachait à nouveau le visage. On oublie tout, sors de ma voiture !

Jonathan ne se le fit pas dire deux fois.

Il sortit, et le type fit crisser les pneus de sa Mazda noire.

Jonathan se bidonnait. Sa petite combine à cinq sous avait de nouveau fonctionné.

Easy money ! Sa sorte préférée !

Il empocha les billets et attendit sa prochaine victime.

31

Il rentra tard, vers deux heures du matin.

Trouva Gabrielle endormie, avec sa petite chienne à ses côtés.

Il esquissa un sourire.

Il aimait les hommes certes, enfin surtout et même exclusivement son petit ami Louis, mais cela ne le rendait pas du tout insensible au charme féminin. En fait, comme bien des gais, il adorait les femmes, qui le lui rendaient bien. Simplement, il ne voulait pas coucher avec elles.

Comme bien des maris avec leur femme !

Gabrielle était si gentille, si pure, si généreuse.

Jonathan referma le plus délicatement possible la porte derrière lui, n'en fit pas tourner le loquet, qui était hyper bruyant, et s'avança à pas de loup dans la chambre pour ne pas troubler le sommeil de sa tendre amie. Gabrielle avait mis la veilleuse pour dormir, alors on pouvait voir dans la chambre, et puis c'était la pleine lune. C'était peut-être pour ça que la soirée avait été si bonne. Ça rendait les gens fous. Pour les crimes et pour l'amour.

Malgré ses précautions infinies, Juliette, qui avait l'oreille fine, se réveilla tout de suite, s'avança jusqu'au bout du lit, examina Jonathan comme si elle ne le reconnaissait pas ou se demandait ce qu'il faisait. Le jeune homme s'empressa de mettre son doigt devant sa bouche, comme si elle pouvait comprendre ce que le geste voulait dire.

D'abord ça marcha. Et Jonathan se félicita de l'empire qu'il exerçait sur les animaux.

Mais trois secondes plus tard, il grommelait : Juliette s'était mise à japper et réveillait Gabrielle, qui l'aperçut tout de suite.

— Désolé, fit-il, je ne voulais pas te réveiller.

— Ah ! c'est pas grave… je venais juste de me coucher. J'ai longtemps prié Mère pour tes ennuis avec la police et ton ami qui est dans le coma.

— Mère ? Mais je pensais que tu n'avais pas de mère.

— Non, je veux dire la Sainte Vierge.

— Ah ! oui évidemment, fit-il avec un sourire embarrassé en regardant vers le prie-Dieu.

Il tira un billet de cent dollars de sa poche, le mit sur la table de nuit du côté de Gabrielle.

— Tiens, les cent dollars que tu m'as passés.

Et, dans un élan de générosité, il ajouta deux autres coupures de cent :

— Ça, c'est ma part pour la chambre.

— Oh ! c'était pas nécessaire, c'est juste de l'argent.

Juste de l'argent !

— Oui, juste de l'argent… fit-il en secouant la tête, à nouveau étonné de la bizarrerie de la jeune femme.

Il tombait de fatigue. Il voulait une seule chose : dormir. Il entreprit de se dévêtir.

Les premiers soirs, par timidité, ou par égard pour sa colocataire, il s'était couché en gardant son slip et son t-shirt. Mais il préférait dormir dans le plus simple appareil, surtout lorsqu'il voulait être sûr d'avoir une bonne nuit de sommeil, comme ce soir-là.

Quand il retira son slip, et qu'elle vit pour la première fois de sa vie un homme nu, Gabrielle poussa un petit cri tandis que Juliette, les oreilles dressées, se mettait à grogner.

— Oh ! t'as rien à craindre, la rassura Jonathan, je suis pas aux deux.

Pourtant, il semblait connaître un début d'émoi.

32

Carlo se préparait un café avec la vieille cafetière du salon, qu'il aurait dû changer depuis longtemps, mais les temps étaient durs, comme se plaisait à le lui rappeler son comptable à chacune de ses déprimantes visites.

Josette et Gabrielle attendaient leur première cliente de la journée. Enfin, surtout Josette, car, étant nouvelle, Gabrielle n'avait pas encore de clientèle assurée. Elle travaillait quand un client arrivait sans rendez-vous et que les deux autres chaises étaient occupées.

Paul, déjà au boulot, exerçait son art sur la tête d'un client qui n'arrivait jamais en retard, qui même arrivait toujours à l'avance, car il avait le béguin pour lui. Partageant le préjugé populaire, le client croyait Paul gai parce qu'il était coiffeur, de surcroît au Village. Un plus un égale deux! L'élégant coiffeur le laissait à ses illusions, lui soutirait des pourboires royaux, sans mauvaise conscience : l'amour a un prix!

Josette observait son séduisant patron à distance, et elle avait l'air un peu déprimée. Elle se confia enfin à Gabrielle :

— Un an. Ça fait un an que j'aime cet homme.

— Quel homme?

— Ben, le patron.

— Ah…

— Mais, pour lui, une femme de son âge, c'est comme la femme invisible. Il aime juste les nénettes de vingt ans. D'ailleurs, sois sur tes gardes, quand il en aura assez de sa copine du moment, il va peut-être tenter sa chance avec toi. Il est comme ça.

— Ah! bon, je…

Gabrielle se désolait pour sa collègue, mais ne savait pas quoi lui dire.

— J'ai tout fait pour qu'il devine mes sentiments. Je l'invite à manger, je le couvre de compliments en trois copies plutôt qu'une, je lui ai même acheté un bracelet. Il ne le porte jamais.

— C'est dommage… je suis sûr qu'il était beau.

— Je ne sais pas s'il était beau, mais il était cher. Trois cents balles.

— Ah, désolée… Mais un cadeau, c'est un cadeau. Mère dit que, dans la Banque du Ciel, tout est inscrit, ce n'est jamais perdu.

— Ah bon, mais moi, avec Carlo, dans la Banque du Ciel, comme tu dis, je fais juste des dépôts, j'ai jamais pu faire de retraits. C'est un peu déprimant, à la fin, déplora Josette.

Elle se tut un bref instant et reprit, lucide:

— Évidemment, pour un homme libre et sans enfants, c'est pas évident, une femme avec des jumelles.

— Ce sont elles? demanda Gabrielle en avisant une photo sur le comptoir devant Josette.

C'étaient deux adorables fillettes aux cheveux pas aussi franchement roux que ceux de leur mère, plus blondinettes à la vérité, et qui toutes deux étaient tressées et habillées de la même manière, de vraies jumelles identiques, quoi!

— Elles sont tellement mignonnes, commenta Gabrielle.

— Elles sont toute ma vie. Si je ne les avais pas, je me sentirais bien seule.

Une pause, puis elle poursuivait:

— Toi, des fois, est-ce que tu te sens seule?

— Seule? Oh! non! Il y a tellement de monde ici, les clients, toi, Paul, le patron. Puis j'adore ça, au Village, tout le monde est tellement gentil et gai.

— Oui, pour être gais, ils le sont.

Une pause.

— Mais, reprit Josette, quand tu rentres à la maison, tu te sens pas seule?

— Ben non, je vis avec Jonathan.

— Ah! tu as un homme dans ta vie?

— Euh… qu'est-ce que tu veux dire?

— Ben, je veux dire, vous partagez le même lit?

— Oui, mais il m'a dit de pas avoir peur, il est pas aux deux.

— Pas aux deux? dit Josette, qui n'était pas trop sûre de comprendre.

— Non. Il aime un homme qui est dans le coma.

— Un homme qui est dans le coma? Ah! bon…

Par désir de diversion, Josette but une bonne gorgée de café en hochant la tête, puis regarda sa montre. Il était dix heures vingt. Elle consulta son livre de rendez-vous, puis déclara, intriguée:

— Madame Lespérance est toujours en retard, mais jamais autant que ça. Je me demande ce qu'elle peut bien faire.

C'est ce moment que choisit Alexandra, la copine (du moment) de Carlo, pour entrer dans le salon. C'était une ravissante brunette qui ne devait pas avoir plus de vingt-deux ou vingt-trois ans. Très grande, plus que lui en fait, elle portait des talons aiguilles, même à dix heures du matin. *Est-ce qu'il ne faut pas se prendre pour une autre!* pensa Josette.

Alexandra, passant d'un pas pressé devant Josette, l'ignora complètement comme si elle était un simple meuble, une parfaite étrangère.

— Merci de me le demander, je vais très bien, et toi? ironisa Josette en parlant entre ses dents.

Puis, se tournant vers Gabrielle, elle ajouta:

— Comment est-ce que je peux compétitionner avec ça? Vingt ans, un corps d'enfer, étudiante en droit. Qu'elle dit, en tout cas. En plus une *bitch* totale. Les hommes adorent. Ils supportent pas ça, quand on est gentilles avec eux.

La sculpturale Alexandra alla trouver Carlo et eut avec lui une conversation aussi brève qu'animée. Plusieurs fois, il tenta de l'apaiser d'un geste de la main, tout au moins de lui faire baisser le ton. Il ne voulait pas que tout le salon connaisse ses problèmes de couple. Ensuite il se taperait trop de questions. Ou trop de sourires entendus.

Pour mettre fin à la discussion, Carlo tendit enfin à la jeune femme une enveloppe qu'elle fourra aussitôt dans son sac à main (un faux Gucci), comme si elle craignait qu'il ne changeât d'idée. Elle le gratifia d'un rapide baiser, qui le laissa sur sa faim vu ce qu'il y avait dans l'enveloppe: cinq cents dollars pour une expédition punitive dans une boutique où elle avait apparemment découvert des aubaines incroyables. Pour lui plaire. À lui et lui seul.

Son tigre.

Ou son financier.

Il ne pouvait trancher.

D'où son angoisse.

Comblée, du moins pour quelques jours — bientôt ce serait quelques heures!-, Alexandra repassa devant Josette sans la saluer davantage.

Et Josette, qui n'avait pas perdu son sens de l'humour, laissa tomber:

— Toujours un plaisir! On se texte et on lunche.

Puis elle regarda Carlo et lui trouva un air piteux.

Et ça la peina, même s'il souffrait visiblement pour une autre femme qu'elle.

Se tournant vers Gabrielle, elle philosopha:

— Quand tu dois payer pour te faire aimer, c'est la solitude totale, non? Parce que tu te rends même pas compte que tu es seul dans ta supposée histoire d'amour. Ç'a l'air un peu songé, ce que je dis, mais je me comprends.

Elle paraissait vraiment malheureuse.

Elle avisa la statue de la Sainte Vierge, sur le comptoir, devant la chaise de Gabrielle, et demanda :

— Tu pourrais pas me fabriquer une petite prophétie, comme tu as fait au beau Francesco ?

33

Il ne fallut que trois secondes et demie à Josette pour s'asseoir dans la chaise de Gabrielle lorsque celle-ci eut accédé à sa requête.

Cela parut contrarier Carlo, déjà irrité par la brève visite de sa copine, qui l'avait soulagé de cinq cents beaux dollars. Elles faisaient quoi, là, les *girls* ?

Il échangea un regard avec Josette, qui avait lu son reproche tacite. Elle souleva les épaules tout en lui faisant un air qui disait tout : elle n'avait pas de cliente. *Avait-il un problème avec ça ?*

Carlo se calma.

Il pensa qu'il lui faudrait bien trouver une solution. Pour le salon qui végétait.

Et pour Alexandra, qui lui coûtait cher et ne l'aimait probablement même pas.

— Il est pas reposant, lui ! Si je ne l'aimais pas, je pense que je lui remettrais ma démission, murmura Josette.

— En trois copies plutôt qu'une, répliqua Gabrielle.

Cela fit rire Josette. Sa nouvelle collègue était bizarre, certes, mais elle n'était pas dépourvue d'humour.

— Vite, fais-moi ma prédiction avant que ma cliente arrive.

— D'accord.

Gabrielle se mit au travail, souriante et calme, comme toujours.

Elle n'avait pas donné trois coups de peigne à Josette que son regard se voila de manière prometteuse, et effectivement, elle annonça :

— Mère dit que tu devrais lire la parabole du semeur, dans le *Nouveau Testament*.

— Ah bon, je connais pas, répondit Josette avec un froncement de sourcils. C'est quoi, au juste, ce truc-là ?

Gabrielle se concentra quelques secondes avant de poursuivre :

— Il y a le grain qui tombe au bord du chemin, au lieu de tomber dans le champ, et le soleil le brûle, ou encore les oiseaux viennent tout de suite le manger.

— Ah...

— La Sainte Vierge dit que c'est quand l'amour vient juste des yeux, mais que les caractères sont trop différents. Les deux font bientôt leurs valises, mais ils ne partent pas en voyage ensemble.

— Ça, c'est bien vrai ! admit Josette.

Paul, qui avait prêté l'oreille, opinait du bonnet. Trop de différences, entre un homme et une femme, ça voulait dire mettre de l'eau dans son vin.

Mais il y avait des limites.

Fallait quand même que le vin goûte encore le vin, à la fin !

Gabrielle continuait de livrer son message :

— Il y a aussi le grain qui tombe dans un terrain pierreux : il pousse, mais ne grandit jamais. C'est quand chacun pense à soi, au lieu de penser à l'autre. C'est pas de l'amour, c'est du commerce, et souvent la guerre des volontés.

— Ça, j'en ai connu, des hommes égoïstes ! approuvait Josette. D'ailleurs un homme qui l'est pas, c'est comme une soucoupe volante. Tout le monde en parle et personne n'en a jamais vu. Et quand une femme en rencontre un, elle le dit pas, elle se le garde pour elle toute seule, pour pas qu'on le lui vole, l'égoïste.

Paul levait les yeux au plafond et pensait que, oui, d'accord, il y avait des hommes égoïstes, mais il y avait aussi des femmes qui ne donnaient pas leur place dans ce département. Son client, lui, ne réagissait pas, en tout cas pas à la conversation des deux femmes, tout absorbé qu'il était dans l'expérience frissonnante qu'il vivait, abandonné aux mains divines de Paul.

— Et enfin, conclut Gabrielle, il y a le grain qui est tombé dans la bonne terre.

— Ça, c'est facile à comprendre, c'est le grand amour, commenta Josette.

— Euh... oui, probablement, mais elle a pas précisé.

— Mais justement, la Sainte Vierge, si ça te dérange pas, tu pourrais pas lui demander au sujet de Carlo ? Elle pourrait pas me dire si on a un avenir ou pas ? Ou est-ce que c'est juste comme si je semais mon amour sur un bloc de ciment ou dans le Sahara, comme dans la parabole machin truc ?

— Attends ! fit Gabrielle, charmante dans sa parfaite docilité. Je lui demande.

Une pause, et Gabrielle déclarait, très sûre de son fait :

— Mère dit que le temps des épines achève pour toi.

— C'est tout ?

— Euh... oui.

— Bon, ben coudonc, murmura Josette.

La parabole du semeur, c'était bien beau, assez poétique sur les bords et assurément très philosophique. Mais Josette n'était pas plus avancée.

Elle aurait voulu questionner Gabrielle et, surtout, que cette dernière insistât pour avoir des précisions, style une date et un nom, et de préférence celui de Carlo.

Mais entra alors un client que visiblement elle n'était pas enchantée de voir.

34

C'était Jean Lacroix, qui arrivait sans rendez-vous, comme à chacune de ses visites.

Prospère homme d'affaires au teint éternellement bronzé, toujours vêtu avec élégance, il avait, comme à son habitude, garé sa Porsche 911 décapotable juste devant le salon, même si c'était interdit, comme s'il était si riche qu'il se moquait éperdument de devoir payer une contravention.

Depuis trois mois, il venait toutes les deux semaines chez Michel Ange.

Toujours pour Josette.

Lorsqu'elle le vit, la rouquine parut agacée.

Elle était flattée par sa cour assidue, certes, mais aussi un peu irritée ou, pour mieux dire, fâchée contre les dieux (incompétents) de l'amour : pourquoi n'était-ce pas Carlo qui la poursuivait ainsi de ses assiduités ?

— Monsieur Lacroix… quel bon vent vous amène ?

— Appelle-moi Jean. Je me sentirai moins dinosaure.

— Parfait, monsieur Lacroix, je veux dire Jean.

— Je préfère.

— Votre femme va bien ? le questionna Josette pour l'éloigner.

— Oui, les démarches du divorce l'affectent, c'est sûr. Mais c'est juste un mauvais moment à passer.

— Pour vous ou pour elle ?

— Drôle !

Josette désigna Gabrielle.

— En passant, je vous présente ma nouvelle collègue, Gabrielle. Un véritable prodige du ciseau.

— Enchanté, fit-il en jetant un regard bref vers Gabrielle, qui esquissa un sourire.

— Qu'est-ce que je peux vous couper aujourd'hui ? demanda Josette.

L'homme d'affaires se montra beau joueur en s'efforçant de sourire de son humour douteux. Décidément, elle ne lui accordait jamais d'accalmie, ne lui faisait en tout cas pas miroiter d'espoir.

Il toucha ses cheveux poivre et sel encore abondants, ce qui n'était pas sans lui donner du charme. En plus, ses dents étaient éclatantes ce qui lui avait coûté vingt mille dollars, une petite semaine de travail.

— Euh… non, ça va aller pour aujourd'hui. À moins que tu te décides enfin à venir me couper les cheveux dans la suite royale du Ritz.

— Tentant, mais je vais prendre un *rain check*.

— C'est ce que je pensais. Écoute, je vais pas te déranger longtemps, ma jolie, je suis juste venu te porter ça.

Il remit à Josette une belle enveloppe de papier parcheminé.

— Tu liras ça ce soir, à tête reposée. Je pense que ça va te plaire.

Et il lui fit un clin d'œil avant de ressortir aussitôt du salon, devant les yeux étonnés de Carlo. Il monta dans sa Porsche rutilante et s'éloigna en faisant crisser ses pneus, peut-être pour prouver qu'il était encore jeune.

Carlo, intrigué que le client soit resté si peu longtemps, vint tout de suite trouver Josette.

— Y a un problème ? Il reste pas pour se faire couper les cheveux ?

— Non, il est venu pour me donner ça !

Et elle lui montrait la jolie enveloppe.

— Qu'est-ce que c'est?

— Une enveloppe.

— J'aurais pas deviné. Tu l'ouvres pas?

— Il m'a demandé de ne pas l'ouvrir avant ce soir, pour la lire à tête reposée.

Elle posa la lettre sur le comptoir, comme si de rien n'était.

— On dirait un faire-part, dit Carlo qui insistait.

— On peut rien te cacher.

— T'es sûre que tu veux pas l'ouvrir tout de suite? Tu serais pas obligée d'y penser toute la journée.

— Bon, si tu insistes, on va en avoir le cœur net.

Elle décacheta l'enveloppe, y trouva effectivement un faire-part qu'elle lut à haute voix, non sans un certain étonnement:

— Vous êtes cordialement invités au mariage de Josette Larose et de Jean Lacroix. La cérémonie aura lieu le samedi 18 septembre en l'église…

— Tu te paies ma tête! pesta Carlo qui lui arracha littéralement le faire-part des mains et le parcourut rapidement: Josette n'avait rien inventé, c'était une invitation à son mariage!

— C'est un fou, ce type-là! Le 18 septembre, c'est dans quelques semaines, et vous ne sortez même pas ensemble!

— De toute manière, il est encore marié.

Cette révélation fit grand plaisir à Carlo, comme si la menace qu'il avait plus ou moins ressentie venait de tomber.

Il jeta le carton sur le comptoir et retourna à la caisse où, pour retrouver sa contenance, il passa un coup de fil.

Gabrielle se réjouissait:

— Tu vois, la Sainte Vierge avait raison. Le temps des épines achève pour toi.

— Mais c'est pas infirmière que je veux être, c'est amoureuse!

35

— Heureux les pauvres en esprit, car le Royaume des Cieux est
à eux, dit Francesco aux trois sans-abri qui étaient restés près de
lui après sa distribution quotidienne de petits pains.

Ça se passait à la place Émilie-Gamelin, anciennement square
Berri, rebaptisé en l'honneur de la nonne du même nom, digne
fondatrice des Sœurs de la Providence.

— Mais que veut vraiment dire le mot heureux? poursuivit
Francesco qui, par sa beauté et sa grâce, avait un peu l'air d'un
dieu perdu à la cour des Miracles.

— Moi, je l'ai déjà su, avant mon *burn-out*, répliqua un homme
de quarante-cinq ans, qui en paraissait soixante et qui avait été
ingénieur en des temps meilleurs.

Drapé dans un grand manteau usé jusqu'à la corde, il avait une
barbe grisonnante de trois, peut-être cinq jours, de longs cheveux
criblés de nœuds, et il portait des souliers troués qui laissaient
voir ses orteils noirs.

— Mais là, ajouta-t-il avec l'absence de pudeur que donne un
long malheur ou une grande gloire, je me rappelle plus, mes neu-
rones sont partis en vacances avec mon ex-femme, mon chien et
mes trois enfants.

Il prit une bouchée de pain sur lequel était écrit le mot Dieu,
un des mots préférés de Francesco, qui possédait, en avait-il la
peu commune croyance, des vertus étonnantes pour le cœur et

l'esprit des hommes. L'ingénieur déchu en fit disparaître les deux dernières lettres : il restait Di, comme un demi-dieu. Ce qu'il était loin d'être, on s'en doute, car sa vie s'était effondrée comme un pont dont il aurait mal dessiné les plans.

Il lut à haute voix : Di.

Et Francesco crut entendre : dis, et qu'il le pressait de poursuivre.

Docile, le beau Francesco ouvrit la bouche pour livrer la clé de sa question en apparence banale (que veut dire le mot heureux ?), mais le deuxième sans-abri, une femme d'une quarantaine d'années aux cheveux teints, blonds, aux yeux bleus encore très beaux, et qui avait eu son heure de gloire, mais qui maintenant était édentée, s'exprima de la sorte, avec sa voix rauque de fumeuse alcoolique :

— Moi, le bonheur, c'était mon enfant, mais il est mort.

Francesco eut un émoi — on en aurait eu un à moins ! — et éprouva un doute quant à l'utilité philosophique de cette glose matinale du célèbre *Sermon sur la montagne*.

Mais le troisième sans-abri qui, à dix-huit ans, n'avait déjà plus de vie avant même d'en avoir eu une — il avait pris beaucoup de drogues, et des plus fortes — le dévisageait comme si, lui, attendait une explication décisive ou, en tout cas, sa définition du bonheur.

Il avait de grands yeux tristes, le crâne rasé, avec plein de tatouages. Francesco expliqua :

— Le mot grec pour bonheur veut dire : qui possède une joie intérieure incapable d'être affectée par les circonstances qui l'entourent.

— Est-ce que ça me redonnera mon enfant, cette joie intérieure ? demanda la femme aux cheveux teints en blond.

— Et moi, est-ce que ça me ramènera ma famille et mon job ? questionna l'ingénieur.

Et il ajouta, cynique :

— Pour ma femme, je peux faire sans !

Sans attendre la réponse de Francesco, il prit une autre bouchée de pain, puis sortit de la poche gauche de son manteau noir une bouteille de vin à moitié vide, pas exactement un Château Petrus, plus une cuvée «dépanneur»!

Il en prit une grande rasade avant de la tendre à Francesco, qui refusa d'un simple geste de la main. Il buvait parfois un peu de vin, mais pas à six heures trente du matin.

La blonde édentée tendit la main: elle buvait, elle, à six heures trente du matin, et même avant, si l'occasion se présentait!

Après une hésitation (il avait considéré avec angoisse ce qui restait de vin dans sa bouteille), l'ingénieur déchu lui tendit la bouteille, mais le regretta aussitôt, car elle la vida. Puis la lui remit. Il dit merci, un sourire ambigu sur les lèvres, car il avait envie de dire autre chose.

Le jeune homme aux tatouages et au crâne rasé n'avait pas d'objections ni de questions, lui. Il avait plutôt une émotion, comme si la définition du bonheur énoncée par Francesco était la clé de son malheur et de sa déchéance précoce, qui avait plongé sa mère dans la dépression: son père, il ne l'avait jamais connu.

Oui, une émotion, en tout cas une larme, comme s'il trouvait que c'était le plus beau programme du monde: posséder une joie intérieure incapable d'être affectée par les circonstances qui l'entourent.

Francesco ne répondit sans doute pas aux sans-abri comme ils s'attendaient à ce qu'il leur réponde. Mais il leur dit tout de même, à sa manière un peu mystique sur les bords:

— Heureux les affligés, car ils seront consolés! Heureux les doux, car ils posséderont la terre! Heureux les affamés et assoiffés de justice, car ils seront rassasiés! Heureux les miséricordieux, car ils obtiendront miséricorde! Heureux les cœurs purs, car ils verront Dieu! Heureux les artisans de paix, car ils seront appelés fils de Dieu! Heureux les persécutés pour la justice, car le Royaume des Cieux est à eux!

Et pendant qu'il disait ça, curieusement, peut-être parce qu'il avait apporté du pain et que des mendiants en avaient échappé çà et là des morceaux en repartant vers leur vie (qui n'en était pas une), des nuées d'oiseaux affluaient, surtout de modestes moineaux, quelques étourneaux, des pigeons aussi, bien entendu, qui se les disputaient.

Comme font les hommes tous les matins.

Et le reste de la journée !

Un oiseau, charmé par la douceur de Francesco et pas farouche du tout, vint même se poser sur son épaule. Et quand il constata cette sorte de prodige, le mendiant qui venait de boire regarda sa bouteille de vin : il avait peut-être trop bu.

Le jeune homme aux tatouages et au crâne rasé vit le volatile, merveilleux en sa domesticité, mais il ne réagit pas. Il avait vu tellement de choses plus surréalistes quand il prenait des hallucinogènes comme on prend son café matinal.

La femme qui avait déjà été belle et avait déjà eu des dents et un enfant souriait, ravie par la présence de ce petit messager d'elle ne savait quoi. Peut-être était-ce son enfant venu la saluer depuis l'au-delà ?

La récitation du *Sermon sur la montagne* fut interrompue par les cris stridents d'une femme persécutée.

Mais pas pour la justice, plus probablement parce que son petit ami ou son ex ou son futur ex, nommé mari en notre siècle de vitesse, était jaloux, soûl ou violent, peut-être les trois, probablement un arriéré mental du sentiment, un égoïste fini qui la tuerait peut-être un jour pour cause de grand amour. Et ses enfants y passeraient peut-être. La passion amoureuse n'a pas de limites, et excuse tout, surtout assortie de commode folie passagère.

Les cris semblaient venir de la rue juste en face, d'un appartement à l'étage, dont la fenêtre était ouverte, vu la canicule.

Francesco ne fit ni une ni deux, surtout qu'il aperçut une femme qu'un homme frappait.

36

Le boulanger mystique grimpa quatre à quatre les escaliers qui menaient au logement.

La porte n'était pas verrouillée.

Il entra et vit, dans un petit trois-pièces misérable, un type qui faisait facilement deux mètres, et très certainement de la musculation. Qui portait une simple camisole pour qu'on pût admirer ses prodigieux biceps copieusement tatoués.

Et qui tentait d'agenouiller une femme toute menue en la tenant par les cheveux.

Philosophe pathétique, il lui répétait de sa voix ivre :

— Tu m'as manqué de respect, tu vas le payer !

La femme pleurait et tremblait. Et suppliait son mari de ne pas la frapper, de la laisser aller.

— Ça suffit ! Laisse cette femme en paix ! ordonna Francesco, pas du tout impressionné par la musculature du sous-homme.

— Tu te prends pour qui ? rétorqua ce dernier. Mêle-toi de ce qui te regarde, c'est ma femme, sors d'ici immédiatement. C'est moi le patron, ici.

— Non, objecta Francesco de manière un peu surprenante, tu n'es pas maître chez toi.

— Moi ? Je ne suis pas maître chez moi ? !

— Non. Des démons vivent en toi.

— Va au diable, avec tes démons ! Ou je te fais regretter d'être né.

Malgré l'avertissement sans équivoque, Francesco s'avança courageusement vers l'autre.

L'homme abandonna la femme et marcha vers le boulanger : il souriait et faisait, de ses épaisses mains velues, des gestes qui voulaient dire : « Viens, approche ! »

Il voulait en découdre, visiblement.

Stoïque, Francesco le prévint en soulevant un inutile doigt :

— La violence n'a jamais rien réglé.

— Tu as peur de te battre, le fifi !

Et ses mains étaient devenues des poings, impatients de frapper.

— Réfléchis ! le prévint Francesco en une objurgation nouvelle. La haine jamais n'a apaisé la haine, c'est une loi ancienne.

— *Fuck you*, intello de mes fesses !

Et, ayant prononcé cet édifiant décret, il fonça vers lui.

Le combat s'engagea.

L'homme était fort, et il était ivre.

Francesco était lucide et vif, et il évita tous ses premiers assauts, en multipliant feintes et esquives avec un art consommé, comme s'il avait passé sa vie à se battre, lui si pacifique, à telle enseigne qu'il évitait d'écraser des chenilles sur son passage, se conformant à la règle de douceur de saint François d'Assise.

À un moment, les deux hommes se retrouvèrent par terre, en un corps-à-corps terrible.

C'est ce moment que choisit la police pour arriver, deux agents à la vérité, qui se précipitèrent vers Francesco et son adversaire, les maîtrisèrent l'un et l'autre, et les sommèrent de se lever.

Le mastodonte se laissa menotter sans difficulté. Ce n'était pas la première fois du reste, et résister à une arrestation, il savait, malgré son intelligence assez limitée et sa sixième année trois fois redoublée, ce que cela pouvait coûter en cour. Et en prison.

Quant à Francesco, le moins costaud des deux agents lui ordonna de présenter les mains devant lui.

Francesco obéit, mais l'agent fut incapable de lui passer les menottes.

Le boulanger tenait les mains à une trop grande distance l'une de l'autre, comme par malice.

L'agent avait certes pu lui passer le premier bracelet, mais impossible de lui enfiler le second. Il manquait dix bons centimètres !

Le policier n'en revenait pas, d'autant qu'il se targuait d'être un des plus forts de sa promotion.

Il n'osait pas ordonner à Francesco d'unir ses mains, ça aurait fait *loser*.

Son collègue le vit, haussa les sourcils, ahuri, poussa le mauvais mari menotté sur un canapé tout déchiré, en lui ordonnant :

— Tu ne bouges pas de là !

Et il vint prêter main-forte à son collègue.

Mais même à deux, ils furent incapables de rapprocher les deux mains rebelles de Francesco, qui restait imperturbable, sans s'amuser même modestement de leur déconfiture.

Les policiers commençaient à s'énerver sérieusement de ce phénomène inexplicable.

Au plancher, la pauvre petite femme reprenait ses esprits et, devenant consciente de ce spectacle curieux, levait péniblement un bras maigrelet, puis entrouvrait la bouche pour tenter d'expliquer aux policiers qu'il y avait malentendu, que la brute, c'était son mari, pas Francesco.

Au même moment, une policière de vingt-cinq ans, qui avait vraiment une tête d'actrice, arriva en renfort. Elle reconnut tout de suite Francesco, dont elle fréquentait la boulangerie et, en une fraction de seconde, apercevant la brute menottée, devina ce qui avait dû se passer.

Du reste ce n'était pas la première fois que Francesco, jouant les bons Samaritains, aidait des gens, même au péril de sa vie.

— Mais qu'est-ce que vous faites, les gars ? Arrêtez ! C'est Francesco, le boulanger du Village.

37

Si un peintre avait cherché un modèle féminin pour représenter la Tristesse avec un grand T, et qu'il avait croisé le chemin de madame Plante, il se serait tout de suite arrêté devant elle et aurait planté son chevalet, toutes affaires cessantes.

Elle était plutôt jolie, pourtant, potelée et très peu ridée pour ses cinquante-cinq ans, sans Botox ni chirurgie.

Mais il émanait de tout son être une nostalgie infinie, dont Gabrielle ne tarderait pas à découvrir la clé.

Car c'est elle qui hérita de la tâche de la coiffer, puisque madame Lespérance était enfin arrivée et déclinait à Josette les banales raisons de son nouveau retard.

Le svelte Paul, pour sa part, rafraîchissait artistiquement la coupe d'une jeune femme d'affaires pressée, occupée à texter, et permettait parfois à ses yeux de s'égarer dans son décolleté plutôt invitant : à croire qu'elle cherchait à le séduire, comme son client précédent.

Carlo, lui, continuait de se tracasser au sujet de l'avenir incertain du salon. Et de son avenir amoureux, tout aussi incertain.

Madame Plante prit place sur la chaise de Gabrielle et commença aussitôt à lui raconter l'histoire de sa vie, même si elle ne la connaissait pas du tout. Elle avait visiblement envie de se confier. En semblable circonstance, de plus en plus fréquente dans la solitude moderne, plaie de notre époque, on a parfois besoin juste d'une oreille, même étrangère. On a moins l'impression de parler tout seul, même si c'est souvent ce qui arrive quand même.

La touchante madame Plante ne s'habituait pas au départ de ses enfants, dont le plus jeune avait pourtant quitté la maison depuis trois ans.

Mais, complainte banale de bien des mères qui se sont longtemps dévouées pour leur progéniture, elle déplorait surtout leur ingratitude.

— Je leur ai tout sacrifié, ma carrière, mes amies, même les voyages que j'ai pas voulu faire avec mon mari pour rester avec eux. Maintenant, ils ont leur vie, leurs enfants, leur travail, je sais, c'est la vie. Il me reste mon mari, ou plutôt le fantôme de mon mari, parce qu'il est marié avec sa compagnie. Et moi, je tourne en rond dans mes souvenirs comme un hamster dans sa cage. Je me sens vide, comme un citron qu'on a pressé pendant vingt-cinq ans, et j'ai l'impression que j'ai fait tout ça pour rien.

Gabrielle souleva ses ciseaux, réfléchit, le regard voilé, puis décréta, visiblement inspirée :

— Mère dit que ce que vous avez fait n'est pas perdu. Ce qu'on fait n'est jamais perdu, on croit ça parce qu'on ne voit pas ce qui se passe dans l'invisible.

— Votre mère est ici ? s'enquit, intriguée, madame Plante, qui avait les yeux humides.

— Elle lui parle, tenta d'expliquer Josette entre deux coups de peigne à sa cliente.

— Elle parle au téléphone en me coupant les cheveux ? demanda madame Plante.

Pour toute réponse, Josette tendit le doigt vers la statue de la Sainte Vierge.

— Oh… fit madame Plante, visiblement impressionnée, dans ce cas…

Gabrielle, avec sur son beau et pur visage l'air un peu égaré de certains voyants qui semblent distraits seulement parce qu'ils sont en train de scruter l'au-delà, continuait à livrer son utile message :

— Elle a vu chaque geste, chaque pensée, chaque souci, toutes vos nuits blanches pour vos enfants.

Josette buvait les paroles de Gabrielle, parce qu'elle aussi, avec ses jumelles, elle en avait eu, des nuits blanches, et des soucis, vu qu'elle les avait élevées toute seule, leur père ayant élégamment pris la fuite avant leur naissance.

Il « traversait une phase », voulait découvrir son vrai moi moi moi, *me myself and I* en anglais : du pur Ionesco aux oreilles effondrées de la future mère de ses enfants !

La belle coiffeuse blonde dit encore :

— Mère dit que vos sacrifices sont des pierres précieuses sur votre couronne.

— J'ai une couronne, moi ? s'étonna madame Plante.

— Oui, et elle brille de tous ses diamants.

— Bon, ben coudonc. En tout cas, je ne me sens pas trop comme une reine. Si j'ai un titre, c'est docteure en ménage et en torchage. Et ça ne me donnera pas la médaille de l'Ordre du Canada de mes fesses, comme à mon mari. Il faut dire que j'ai pas, comme lui, donné beaucoup d'argent au premier ministre pour qu'il soit réélu, même s'il est pourri.

— Tout le monde a une couronne, poursuivait Gabrielle, qui n'avait absolument rien compris aux objections de sa cliente, mais elle est invisible comme le vent.

— Ah…

— Chaque fois que vous aidez les autres, que vous avez de bonnes paroles, vous ajoutez une pierre précieuse à votre couronne, une émeraude, un rubis, un saphir, un diamant selon la vertu que vous avez exercée. À la fin, vous devenez une reine ou un roi.

— Et ça donne quoi, d'être reine de mes… ?

Elle ne dit pas de quoi, mais c'était «de mes fesses», bien évidemment.

— Attendez, fit naïvement Gabrielle, qui réfléchit.

Et enfin elle décréta :

— Ça donne le bonheur.

— Le bonheur? dit madame Plante, aussi ahurie que si Gabrielle lui avait annoncé que cette couronne la rendrait millionnaire à la loterie.

— Oui, c'est inévitable, l'addition de toutes vos bonnes pensées, de vos beaux gestes, de vos paroles gentilles, rend parfaite votre couronne, qui brille alors de toutes les pierres précieuses qui l'ornent, et à la fin vous rendra heureuse, c'est mathématique.

— Ah bon… fit la cliente, plutôt perplexe, car cette allégorie était un peu étonnante.

— Mère dit que votre voyage tire à sa fin, poursuivit Gabrielle.

— Je vais mourir? s'affola madame Plante, qui voyait tout à travers les lunettes de sa tristesse.

— Oui. Mais juste dans trente-neuf ans. Le 25 décembre, jour de votre anniversaire.

— Comment elle peut savoir ça, que je suis née le jour de Noël? demanda la cliente avec un affolement dans les yeux.

En effet, pensa Josette en dodelinant de la tête, c'était trouvé comme prédiction! Quelle précision!

Avec un haussement d'épaules, Gabrielle expliqua :

— Ben… c'est la Sainte Vierge, c'est facile pour elle, elle connaît la vie de tout le monde, c'est son métier.

— Ah bon… Quand même, c'est quelque chose!

La petite coiffeuse plus douée côté voyance qu'avec ses ciseaux, ce qui ne nuisait pourtant pas à son succès, regarda dans le vide à nouveau, comme si elle cherchait l'inspiration qui pour elle était juste son «internet» avec la Vierge Marie. Elle livra bientôt la réponse à son «courriel» :

— Mère dit que vous allez connaître un grand changement, vous ne vous reconnaîtrez même plus. Ça va être comme une renaissance, avec un baptême et des fées.

— Des fées ?

— Oui. Comme à votre naissance. Mère dit qu'il y en avait trois autour de votre berceau, mais chaque fois qu'elles ont voulu vous aider, qu'elles vous ont murmuré votre destinée, vous avez fait la sourde oreille : ou vous aviez quelque chose de plus important à faire. Alors elles sont parties. Elles sont capricieuses, il faut s'en occuper, sinon elles prennent la clé des champs.

— Ah ! c'est triste, d'autres qui sont parties, comme mes enfants. On dirait que c'est dans mon contrat.

Josette leva les yeux au plafond.

— Dans son contrat ! Elle est sotte ! dit-elle entre ses dents. Karma ! C'est pourtant pas un mot si compliqué !

Elle avait dit le mot « karma » un peu fort, contrariée de l'ignorance crasse de madame Plante, qui demanda, se croyant interpellée :

— Hein, karma ?

— Non, rien, la rassura Josette, je disais quel chat !

— Ah !

Gabrielle ne se mêla pas de ce petit échange impromptu. Lorsqu'il prit fin, elle dit :

— Mère déclare que c'est pas si grave, le rendez-vous manqué avec les fées. Vous pouvez les rappeler. Elles ne sont jamais loin. Elles attendent un signe de vous parce que vous êtes leur travail. Si vous regardez bien dans le petit miroir de votre cœur, vous allez les voir.

— Ah bon…

La nostalgique madame Plante avait l'air un peu déçue. C'était un peu trop songé, ces histoires de petit miroir du cœur et de fées !

Pas du tout débinée par cette réaction tout sauf enthousiaste, la jeune coiffeuse, décidément en verve ce matin-là, ajouta :

— Mère dit aussi que vous êtes comme l'ouvrier dans l'Évangile. Celui qui a enterré le talent que son maître lui avait donné. Voilà pourquoi vous ne voyez pas ce que vous pouvez faire de votre vie.

— Ah bon…

— Déterrez votre talent, et vous verrez, toutes les portes vont s'ouvrir devant vous.

Josette pensa que Carlo agissait de même avec elle, il commettait la même erreur. Son talent à lui, c'était elle, leur amour, la vie à deux qu'ils pouvaient avoir, mais n'avaient pas ! Parce qu'il ne le voyait pas ! Il voyait juste ses petites nénettes qui n'en avaient que pour son argent. De l'argent qu'il n'avait même pas ! Fallait-il qu'elles soient naïves !

— Comment la Sainte Vierge sait-elle que j'écris ? s'écria la cliente.

Là, Gabrielle sortit de son impassibilité et se mit à rire.

— Ben, c'est la Sainte Vierge !

— Ah, c'est drôle qu'elle dise ça, parce que j'ai presque fini d'écrire l'histoire de ma vie, mais je pensais pas que ça pouvait intéresser quelqu'un. J'écrivais ça juste pour arrêter de pleurer, le soir, quand mon mari reste tard au bureau et que la maison est toute vide depuis le départ du petit dernier.

Qui n'était plus petit, sauf dans son souvenir ému.

38

Quand Francesco rentra en sifflant à la boulangerie, quelques minutes après sa bizarre aventure matinale, il trouva son père vraiment blême, comme si ce dernier était suprêmement contrarié de son absence.

Et pourtant, tout le pain pour la journée était fait depuis longtemps, et la boulangerie ouvrait seulement cinq minutes plus tard, car il n'était pas encore huit heures.

Louisette, aussi fiable que borgne, était déjà au poste, au cas où Francesco aurait eu du retard, même si, à la caisse, vu son visage, ce n'était pas le spectacle idéal.

Mais la plupart des clients s'y étaient habitués, l'avaient même adoptée, car elle ne manquait jamais de faire un compliment, dans l'espoir peut-être d'en recevoir un.

Qu'elle ne recevait pourtant jamais.

— T'étais où ? le questionna le père de Francesco.

— Tu le sais, papa, je faisais ma distribution de pain quotidienne. Et j'ai eu un petit pépin.

— Ben moi, j'en ai eu un gros.

— Pas ton cœur, j'espère ?

— Non, la banque.

— La banque ?

— Oui, le gérant m'a appelé. Il tire la plogue dans une semaine, si je ne dépose pas cent mille dollars dans la marge de crédit.

«Tirer la plogue», cela signifiait, en bon français, rappeler la marge de crédit.

Giorgio Giovanni se tourna vers Louisette, qui préparait la caisse pour la journée. Il se rendit compte qu'il avait parlé un peu fort. Son employée avait tout entendu, et elle paraissait affolée. Normal: elle était sensible comme pas une.

En outre, fine mouche, elle n'avait pas manqué de faire le raisonnement, probablement juste, que si la banque mettait sa menace à exécution, elle perdrait son emploi.

Avec la gueule qu'elle se tapait, ce n'était pas exactement une bonne nouvelle: trouver un autre job ne serait pas une sinécure.

Et surtout, SURTOUT, elle ne verrait plus Francesco, et cette idée la tuait.

Le père de Francesco haussa les épaules.

Au fond, il s'en foutait que Louisette connaisse ses démêlés avec la banque.

De toute façon, il serait bien obligé de lui dire la vérité quand il mettrait la clé dans la porte.

Si son fils n'entendait pas raison et ne voulait pas lui rendre le petit service qu'il s'apprêtait à lui demander.

— Cent mille dollars? Mais on va les prendre où? demanda Francesco.

— J'ai un prêteur, enfin pas un prêteur, un acheteur. Alfredo Modeno.

— Le père d'Angela?

— Oui.

— Mais... bafouilla Francesco, pourquoi s'intéresse-t-il à nos boulangeries?

— Il nous rachète à une condition.

— À une condition? fit Francesco en écarquillant les yeux, terrorisé par cette condition qu'il semblait avoir devinée.

39

— Oui, lui annonça son père. Il nous rachète à gros prix si tu épouses sa fille Angela.

— Si je quoi?

— Si tu épouses Angela. Et il nous offre de rester ici pendant cinq ans, avec le double de notre salaire actuel.

Francesco n'en revenait pas. Muet, il hochait la tête.

Louisette, pour sa part, avait beau n'avoir qu'une oreille, elle avait tout entendu, à preuve son air effaré. Il y eut même une larme qui jaillit de son œil unique. Si Francesco se pliait à ce vulgaire chantage et épousait Angela, elle avalerait un tube de comprimés. Ou arrêterait pour toujours de manger, se laisserait mourir.

— Mais papa, qu'est-ce que c'est, cette histoire à dormir debout? protesta Francesco. Ça ne tient pas la route. Angela est au courant de ce marchandage de bas étage?

— Oui, elle est au courant.

— Je ne te crois pas.

— Puisque je te le dis. Demande-le-lui si tu ne me crois pas!

— Mais c'est de la folie pure et simple!

— Les gens riches ne pensent pas comme nous, mon pauvre Francesco. Elle te veut. Et elle est la fille à papa. Alors il lui donne un cadeau. Et elle le déballe avec plaisir.

— Un cadeau! Tu veux que je sois un cadeau pour Angela?

Le père de Francesco ne disait mot. Pragmatique, il indiquait à Louisette, maintenant totalement affolée par cette révélation plus horrible que tout, d'aller ouvrir la porte de la boulangerie, car il était maintenant passé huit heures.

— Ben, papa, fit Francesco, je ne sais vraiment pas quoi te dire. Enfin, tout ce que je peux te dire, c'est que je n'aime pas Angela.

— Tant mieux, comme ça, tu seras heureux en ménage.

— Heureux ?

— Oui, tu ne souffriras pas. Tu te foutras complètement d'elle. Tu seras libre, libre, mon fils ! Et il n'y a pas de bonheur sans liberté. Elle pourra te faire tous les reproches du monde — et Dieu sait qu'elles ont du talent pour ça !

Il leva les yeux avant d'ajouter :

— Que ta pauvre mère me pardonne du haut du ciel ! Oui, tu seras libre, mon fils. Angela pourra te seriner que tu ne couches pas assez avec elle, que tu regardes ses amies, ta secrétaire, que tu joues trop souvent aux quilles ou au golf et pas assez souvent avec ses seins — ils sont beaux en passant —, tu t'en foutras complètement. Et ça, ça n'a pas de prix, crois-moi, mon fils. C'est mieux que de gagner à la loterie. Mille fois mieux.

— Là, je ne te suis pas, papa.

— Pas besoin. Et de toute manière, tu n'as pas le choix, hélas ! Il faut que tu choisisses. Soit tu épouses Angela, et nous sauvons nos boulangeries. Soit tu ne penses qu'à toi et tu laisses ton petit papa perdre le travail de toute une vie, et probablement mourir de chagrin ou d'une crise cardiaque. D'ailleurs, à la réflexion, ce serait une bonne solution : pas de longue maladie, pas de décrépitude, un petit arrêt cardiaque, comme un arrêt d'autobus au coin de la rue, et *arrivederci Roma*.

Francesco secouait la tête, totalement incrédule.

— Je pense que tu ne te rends pas compte de ce que tu me demandes !

— Oui, je m'en rends compte. Je m'en rends même parfaitement compte. Tu ne le comprends pas, là, parce que tu as encore des illusions sur le mariage et l'amour.

— J'ai peut-être des illusions, mais il me semble quand même qu'il faut aimer, ou en tout cas avoir l'impression d'aimer la femme qu'on va épouser.

— C'est juste une impression, crois-moi.

Il souriait tristement, puis il reprit :

— Fais à Angela un enfant ou deux, prends-toi une maîtresse, ou deux, ou divorce-la.

— Dans un an ou deux…

— Enfin… attends quand même trois ou quatre ans ! Ensuite tu seras libre, et j'aurai évité la faillite.

— Je… je ne sais pas quoi te dire, papa.

— Dis oui !

— Papa, je…

— Tu quoi ?

— Je suis peut-être amoureux d'une autre femme.

— Ça doit être une fée ou une femme enchantée, comme ces femmes à qui tu sembles parler dans tes prières, parce que tu ne nous l'as jamais présentée. En tout cas, c'est sûrement pas Louisette.

— Papa, ne sois pas cruel ! Louisette est…

— À la caisse, je sais. Tentant de ne pas éloigner trop de clients en leur faisant des compliments.

— Tu es vraiment cruel, papa.

— Je suis au bord de la faillite, mon fils. J'essaie juste de te laisser un héritage. Penses-y ! Il ne nous reste pas beaucoup de temps. Nous avons une semaine.

40

«Tu croiras que le gant qu'elle te tend ne convient pas à ta main.»

Après l'étonnante conversation qu'il venait d'avoir avec son père, Francesco ne cessait de se répéter cet avertissement un peu sibyllin que lui avait servi Gabrielle chez Michel Ange.

Avait-elle voulu dire qu'il devait épouser Angela Modeno, un «gant» qui ne semblait pas du tout convenir à sa main?

Et dire qu'il s'était toujours juré de se marier seulement s'il rencontrait le grand amour!

Pourquoi la Vie — ou Dieu — exigeait-elle pareil sacrifice de sa part?

Pourquoi semblable épreuve?

Mais il y avait peut-être une manière de s'en sortir...

Vers dix-sept heures quarante-cinq, Francesco demanda à Louisette, encore toute remuée par la conversation entendue le matin, de le remplacer à la caisse et de fermer la boulangerie pour lui, en prétextant qu'il avait une course urgente à faire.

La course urgente, elle se doutait bien de ce que ça pouvait être. Car il était rasé de près, s'était remis de l'eau de toilette, ça se sentait!

— Tu ferais bien de te presser, le temps est à l'orage, le prévint-elle.

Il l'était en effet, et Francesco s'en rendit bien compte en sortant de la boulangerie. Il y avait des rafales, de gros nuages noirs roulaient dans le ciel. Les gens se hâtaient sur le trottoir, les fenêtres des appartements se refermaient sur les vies, les absences de vie, lès familles qui étouffaient, les solitudes des grandes villes.

Louisette esquissa un sourire triste et regarda Francesco s'éloigner en direction du salon de coiffure Michel Ange, qui serait son tombeau. Peut-être. Car lorsque l'être aimé (surtout follement) en aime un autre et que de surcroît on ne peut l'en blâmer, n'est-ce pas la Grande Faucheuse amoureuse qui se profile à l'horizon avec, dans sa main fatidique, notre éloge funèbre ?

Dans son désarroi, qui serait peut-être la surprenante méthode de sa joie, Francesco s'était fait le raisonnement suivant : le gant qu'elle te tend et qui ne convient pas à ta main, certes, c'était peut-être celui de l'effrontée Angela, mais c'était peut-être aussi… celui de Gabrielle !

Dans la journée, une idée folle lui était venue : s'il persuadait Gabrielle de l'épouser en moins d'une semaine, son père ne pourrait plus exiger de lui qu'il se marie avec Angela. Ce ne serait même pas légal, quelle merveilleuse aubaine !

Et pour la boulangerie et la banque, il aviserait en temps et lieu, les choses s'arrangeraient.

De toute manière, le père d'Angela, placé devant le fait accompli, achèterait peut-être quand même les boulangeries.

Et Angela se trouverait un autre mari : après tout, elle n'était pas exactement un laideron, et elle était riche, ce qui provoque bien des émois chez bien des hommes, surtout en notre époque où, de moins en moins instruits comparativement aux femmes, ils sont de plus en plus condamnés à se chercher un bon parti.

Francesco fit les cent pas devant le salon de coiffure, en espérant que l'orage n'éclaterait pas tout de suite.

Sa persévérance et son optimisme furent couronnés de succès.

Gabrielle parut enfin, mignonne comme tout dans un simple jeans noir et un chemisier blanc. Il la trouva encore plus belle que la fois précédente. Il alla tout de suite vers elle. Elle sourit, visiblement heureuse de le revoir. Et un peu surprise.

— Ah! Francesco, quel bon vent t'amène?

Et avant qu'il n'ait le temps de répliquer, elle le taquina:

— Pas d'éclair au chocolat ce soir?

— Ni de millefeuille. On a eu un rat de bibliothèque à la boulangerie.

Elle rigola tout doucement. Il vit ses dents, toutes blanches, parfaitement alignées, et nota qu'elle ne portait pas de rouge, ce qui était rare chez une jeune femme, mais sa bouche était parfaitement dessinée.

— Non, sérieusement, reprit-il, je voulais te poser quelques questions.

— À quel sujet?

— Au sujet de la prédiction que tu m'as faite. Je t'offre un café?

Elle observa le ciel de plus en plus noir. Lui ne pouvait arracher son regard d'elle.

Elle était déjà son Louvre, mieux encore, sa Mona Lisa, mais blonde, il va de soi.

Avec un peu d'hésitation, Gabrielle répondit enfin:

— Pourquoi pas?

Ils marchèrent vers la rue Saint-Denis, mais le temps se gâtait sérieusement, et l'orage éclata au bout d'une minute à peine. Ils n'avaient ni l'un ni l'autre de parapluie. Il leur fallait soit sauter dans un taxi — mais il n'y en avait aucun en vue —, soit entrer tout de suite quelque part.

Ils arrivaient devant la porte d'une salle de quilles du Village, Les Allées Folles, qui en attirait parfois, mais sans excès. Des folles.

Il y avait à vrai dire une clientèle variée, des homos bien sûr, mais aussi des gens dits normaux, et beaucoup de personnes âgées, car c'est un jeu démodé.

Francesco poussa la porte de la salle de quilles et entraîna Gabrielle dans le vestibule. La pluie avait un peu mouillé le

chemisier de la jeune coiffeuse, et l'on pouvait deviner son soutien-gorge au travers. Il était rose.

Tout ébaubi par la révélation inattendue, Francesco pensa :
« Tout est rose chez elle, tout est rose : ses lèvres, son teint, son
soutien-gorge, sa voix même. »

Mais immédiatement, un train de pensées autres assombris-
sait cet éblouissement. *Elle a peut-être un* pimp, se dit-il, *et en
conséquence de quoi, elle monnaye sa beauté.* Ce qui lui paraissait
tout à la fois choquant et difficile à croire : elle semblait si pure,
presque virginale, à la vérité, ce en quoi, comme de bien entendu,
il était loin d'errer.

Comment pouvait-elle laisser de parfaits étrangers la toucher,
froisser le satin de sa peau, la « visiter » en échange d'argent, que
du reste elle ne touchait même pas complètement, vu le souteneur avec qui elle vivait sans doute dans ce *tourist room* sordide
jusqu'où il l'avait suivie ?

Adolescent, Francesco avait beaucoup joué aux quilles avec
son père, qui était un fort joueur et avait même été champion de
sa ligue. Il réalisa, en voyant une affiche sur un des murs du vestibule, qu'il se trouvait dans un *bowling*. Il regarda dehors. Maintenant c'était un véritable orage, il tombait des cordes. Il y eut
même un peu de grêlons. Ils étaient coincés.

— Tu joues aux quilles ? demanda Francesco.

— Euh… non, avoua Gabrielle qui replaçait ses cheveux
mouillés.

— Je peux te montrer.

— J'adorerais ça ! fit-elle avec enthousiasme.

Quelques minutes plus tard, ils étaient fin prêts, tous deux
chaussés de souliers loués : Francesco avait élégamment lacé
ceux de Gabrielle, en prenant bien son temps, véritable chevalier
servant.

La première leçon pouvait commencer, car les joueurs avaient droit à quatre lancers d'exercice avant que le pointage ne commence à s'inscrire sur une console un peu désuète.

Gabrielle, qui avait toujours aimé apprendre de nouveaux trucs, semblait excitée comme une fillette.

Dans l'allée voisine de la leur, il y avait d'ailleurs une fillette de sept ou huit ans, une mignonne blondinette qui jouait avec ses parents, un couple dépareillé comme il y en a tant et qui sont parfois plus heureux qu'on ne le croit.

La femme était grosse, et l'homme, qui était vraiment sa moitié, et peut-être moins encore, était maigrelet, et pas très grand. « Un clou de girofle sur un jambon. »

La fillette jouait d'une manière particulière, comme du reste bien des enfants. Au lieu de faire des pas d'approche, comme la plupart des joueurs, la plupart des joueurs qui étaient de grandes personnes, elle se plaçait juste devant la ligne de faute, tenait la boule à deux mains entre ses jambes largement écartées, et la balançait méthodiquement trois fois avant de la lancer. Méthode singulière qui semblait lui réussir, car elle multipliait les abats, ce qui contrariait sa mère, déjà en compétition avec elle malgré son si jeune âge !

Francesco prit une boule, amorça ainsi sa leçon :

— On peut prendre les boules de deux façons. Comme ceci (il mit la main sous la boule) ou comme ça (il renversa la main comme font tous les bons joueurs). C'est celle-là que je te recommande. Aussi bien apprendre de la bonne manière, sinon tu devras tout réapprendre plus tard. Tu vas voir, c'est facile.

Il lui fit une petite démonstration, en s'appliquant, et, fier de lui, réussit un abat.

Gabrielle applaudit.

Francesco haussa les épaules avec modestie :

— J'étais champion quand j'étais adolescent. À ton tour maintenant.

Il prit une autre boule, plaça la main de sa jeune élève dessus, dans la position idoine, ce qui voulait dire qu'il pouvait toucher sa peau qui était du véritable satin...

Le gant qu'elle te tend...

Si ce gant était à l'avenant de sa peau... il conviendrait assurément à sa main !

Francesco prit bien son temps, pour pouvoir se griser de l'odeur des cheveux de Gabrielle, de la proximité troublante de son corps. Songeant que les compliments sont les grands adjuvants de la séduction, que même Dieu n'y échappe pas puisqu'il aime qu'on le louange, il lui en fit un premier, mais sous la forme plus discrète d'une question :

— C'est quoi, ton parfum ?

— J'en porte pas. Toi ?

— *Acqua di Giò*, d'Armani.

— J'aime.

Lui aimait encore plus son parfum à elle. Même si elle n'en portait pas. Il en avait des frissons. Il lui fallut trouver une diversion à son émoi grandissant, car sentir le corps de Gabrielle contre le sien, c'était dévastateur à la fin. Ça faisait si longtemps que la chose ne lui était pas arrivée. Il ne se souvenait même plus quand.

Dans la rangée voisine, la grosse femme venait de commettre une déplorable trouée, qui lui arracha un juron, et sa petite fille enchaîna avec un nouvel abat, malgré sa méthode de jouer non orthodoxe.

Francesco s'éloigna prudemment de la jolie coiffeuse et lui suggéra :

— Bon, lance ta première boule !

Elle ne se plaça pas comme il fallait, se déporta sans s'en rendre compte vers la gauche de l'allée, faute que Francesco s'empressa de corriger en plaçant les mains sur ses hanches et en la replaçant délicatement vers la droite.

Elle se laissait faire avec docilité.

Ou avec un bonheur secret.

Elle fit enfin son premier lancer.

Rata complètement son coup.

Elle n'avait pas touché une seule quille, sa boule ayant déplorablement abouti dans le dalot! Elle plissa les lèvres en une moue de déception.

— C'est pas grave! l'encouragea Francesco. Essaies-en une autre.

Il choisit une autre boule, la lui remit, se plaça près d'elle pour mieux étudier sa méthode.

Gabrielle commit une autre erreur: cette fois-ci, son mouvement arrière fut trop accentué, si bien qu'elle échappa la boule sur le gros orteil du pied gauche de Francesco.

Ce dernier se détourna pour grimacer discrètement, retint le gémissement que la douleur lui arrachait.

— Oh! vraiment désolée, dit-elle. Est-ce que je t'ai fait mal?

— Non, non, lui assura-t-il en la regardant brièvement.

Et aussitôt il détourna à nouveau la tête pour qu'elle ne voie pas la grimace qu'il ne pouvait contenir. Il n'aurait rien aimé de plus au monde que se masser le gros orteil, mais cela l'aurait trahi et aurait mortifié Gabrielle.

Enfin, il ramassa la boule qu'elle avait échappée, la lui redonna, mais se posta cette fois-ci à une distance prudente de sa jeune élève, qui ne fit guère mieux que la fois précédente en abattant une seule quille. Là, elle était vraiment ennuyée. Cela avait l'air si facile, pourtant.

— C'est pas grave, l'encouragea Francesco, regarde bien!

Il lança une nouvelle boule, réalisa un autre magnifique abat et se rendit alors compte que la partie était commencée, car son score s'inscrivit au tableau électronique. Son lancer suivant lui valut un nouvel abat. Il fit comme si de rien n'était, modeste dans son triomphe.

— À ton tour maintenant!

Gabrielle se mit en position, un peu nerveuse vu l'insuccès de ses deux tentatives précédentes. Mais dans l'allée voisine, elle remarqua alors que la petite fille venait de réaliser un nouvel abat. Elle sauta d'ailleurs de joie, fit même une petite danse qu'elle termina par un *high five* victorieux avec son père.

Impressionnée, ou pour mieux dire inspirée, Gabrielle prit le parti de l'imiter et s'avança jusqu'à la ligne de touche. Elle balança la boule entre ses jambes bien écartées, la lança.

La dernière quille tomba après avoir vacillé une seconde ou deux, suspense insupportable mais délicieux. Gabrielle sauta de joie, Francesco applaudit, pensant, *whatever works*, la fin justifie les moyens, un abat est un abat !

Gabrielle se retourna vers son professeur, leva la main pour lui proposer un *high five* qu'il accepta avec plaisir.

— Bravo !

— De la pure chance ! fit Gabrielle.

Mais chance ou pas, elle réussit un deuxième abat. Francesco n'en revenait pas. Elle avait du talent, la coquine ! Ce succès inattendu lui mettait d'ailleurs un peu de pression sur les épaules. Cela parut dans ses deux coups suivants, où il dut se contenter de réserves. Et sa nervosité s'accentua encore lorsque Gabrielle, décidément étonnante avec sa *beginner's luck*, ou carrément surdouée, continua d'aligner invariablement des abats, si bien qu'à la fin elle réalisa un score parfait de 300. Son professeur éberlué ne put faire mieux qu'un pourtant très respectable 236.

— Wow ! Tu es un petit génie ! s'exclama-t-il.

— C'est bien ? Vraiment ? questionna Gabrielle.

— Mieux que bien : c'est une partie parfaite ! Je n'ai jamais vu ça, je veux dire pour quelqu'un qui joue sa première partie.

Elle haussa avec modestie les épaules, esquissa un sourire.

La grosse femme d'à côté, elle, ne sautait pas de joie, pas seulement empêchée par son poids, mais parce que sa fillette lui donnait une véritable raclée.

En outre, elle avait été témoin des succès spectaculaires de Gabrielle.

Aussi voulut-elle les imiter.

Devant son mari inquiet et médusé, elle se plaça, boule en main, sur la ligne de touche et écarta un peu trop largement les jambes, si bien que son pantalon se fendit au niveau des fesses, quand elle s'élança enfin, révélant des dessous rouge et noir glorieusement semés de petits cupidons lançant leur inutile flèche.

Son mari éclata de rire malgré lui.

Et cela n'aida pas à tempérer son hilarité lorsque sa petite fille proclama, en montrant le postérieur maternel du doigt :

— Maman, il y a des cupidons sur ton caleçon !

La grosse femme ne lui répondit pas et jeta plutôt un regard désapprobateur vers son mari qui cessa tout de suite de rire, craignant les pires représailles, car c'est elle qui portait le pantalon. Fendu ou pas !

Gabrielle et Francesco se mordaient pour ne pas rire, afin de ne pas lui manquer de respect. Le boulanger suggéra :

— Viens, allons prendre un verre pour fêter ta partie parfaite !

— Bonne idée, ça donne soif, la partie parfaite.

Ils n'avaient pas fait dix pas que leur fou rire éclatait.

41

À la sortie des Allées Folles, le ciel leur réservait une surprise : un magnifique arc-en-ciel !

— Ah ! comme c'est beau ! s'exclama Francesco.

— Oui, vraiment beau. On dirait un message de Dieu.

Francesco y vit surtout un signe que peut-être *le gant que lui tendait cette femme convenait à sa main.*

De toute manière, son plan était arrêté : il voulait justement lui demander sa main !

Mais il lui faudrait jouer ses cartes correctement et les jouer avec intrépidité, ce que neuf fois sur dix on ne fait pas. D'où notre malheur. Qu'on met commodément sur le dos des autres.

Qui ont le dos large pour justifier nos errances.

Il se remit à pleuvoir, malgré l'arc-en-ciel.

Gabrielle et Francesco, qui avaient fait quelques pas, se trouvaient devant un bar astucieusement appelé, vu le quartier, Les Âmes-Frères.

— Tu connais ? vérifia poliment Francesco.

— Non.

— Moi non plus. Je n'y ai jamais mis les pieds. On entre ?

— Pourquoi pas ? dit Gabrielle en une formule qui semblait résumer son idée optimiste de la vie.

Ils y entrèrent et se retrouvèrent, sans surprise avec enseigne pareille, du moins pour Francesco, un habitué du quartier, dans un établissement que fréquentaient surtout des hommes. Mais pas uniquement. Il y avait aussi des femmes, en vrai couple, en tout cas ce jour-là, après, on verrait. Et des hétéros, qui habitaient le quartier et se moquaient éperdument que le resto-bar soit gai ou pas, les tapas y étaient délicieux et pas chers, la musique vraiment bonne.

Francesco n'avait jamais mis les pieds aux Âmes-Frères, et pourtant le patron l'accueillit de la sorte :

— Oh ! Francesco ! Que nous vaut l'honneur ?

— On vient simplement prendre un verre, répondit-il non sans un certain embarras, en rentrant le col, une moue étonnée sur les lèvres, comme s'il était pris en flagrant délit de...

Il se tourna aussitôt vers Gabrielle en haussant les épaules, interloqué. Elle ne s'en formalisa pas, car elle ne se rendait pas compte que c'était un bar gai et que si Francesco semblait y être connu, reconnu, c'était forcément qu'il le fréquentait assidûment, quoi qu'il en dît et même si le patron avait demandé : « Que nous vaut l'honneur ? » Ce qui prouvait qu'il n'était pas un habitué.

Le patron était un quinquagénaire émacié au regard glauque qui avait perdu tous ses cheveux et n'avait pas l'air très en santé. Et pour cause : il luttait contre un cancer, qui était peut-être aussi le sida. Il ne l'avouait pas, pour ne pas éloigner sa clientèle, qui pourtant en avait vu d'autres. Mais les préjugés sont si tenaces, même parmi ceux qui en sont le plus souvent victimes !

Le patron désigna d'un vaste geste la salle entière, où il y avait beaucoup de tables libres, puis ajouta :

— Vous pouvez aussi aller au bar.

Vers où leur préférence se porta.

Le barman, un homme de trente-sept ans qui en paraissait quarante-cinq vu ses mœurs de noctambule, accueillit lui aussi Francesco comme s'il était un habitué.

— Francesco ! Ça roule, la boulangerie ?

— Oui, on a beaucoup de pain sur la planche, plaisanta Francesco pour se donner une contenance.

— Ha ! Ha ! Ha ! Elle est bonne, fit le barman.

— Et de la meilleure farine ! ajouta Gabrielle non sans finesse.

Francesco, lui, restait contrarié, car il passait pour un fieffé menteur alors que le proprio et le barman étaient simplement allés quelques fois à la boulangerie, et comme Francesco était beau comme un dieu et peut-être gai — et eux très certainement ! —, ils avaient retenu son nom, comme on retient le nom de ceux qui nous plaisent : les autres, on les oublie !

Gabrielle, elle, ne se souciait guère qu'il y eût autour d'elle des hommes qui se prenaient les mains, les genoux ou se faisaient les yeux doux.

— Tu as envie de quoi ? demanda Francesco à Gabrielle.

Elle pensa à son embarrassante expérience du Montreal Pool Room, avec les hot dogs dans lesquels elle ne savait pas trop quoi mettre, et elle dit, distraitement :

— *All dressed* comme toi.

Il la regarda curieusement. On n'était pas à La Belle Province ou dans un quelconque snack-bar. Mais assis à un bar.

— Non, je veux dire : tu as envie de boire quoi ?

— Un verre d'eau.

— Un verre d'eau ? fit Francesco, un peu pris par surprise.

Le barman était tout sauf ravi.

— Ou la même chose que toi, rectifia Gabrielle, qui avait senti son embarras.

— Bon alors…

Francesco ne buvait guère. Mais, malgré son trouble amoureux, il eut la commode lucidité de se rappeler qu'ils se trouvaient dans un bar. Ils ne pouvaient, sans irriter suprêmement le barman, se contenter de commander des Coca et des jus, ou même de stupidement coûteuses eaux Perrier, citron ou pas.

Le barman les aurait fait conduire *manu militari* à la porte, avec prière de ne plus franchir leur distinguée frontière sans un passeport en bonne et due forme. Un passeport d'alcoolo, s'entend. Ou au moins de buveur social, comme ils disent dans les sites de rencontre pour ne pas éloigner ceux qui ne boivent pas — ou disent qu'ils ne boivent pas ! — et ont déjà donné. Avec un alcoolo. De service ou pas.

L'alcool fort, Francesco ne pouvait pas. Le vin, il n'en raffolait pas, car il préférait trouver son ivresse dans la méditation ou la prière, ou simplement dans la contemplation de «l'Aurore aux doigts de rose».

Mais là...

Dans un bar...

Devant un barman qui attendait ses instructions avec une impatience grandissante.

— Tu préfères le rouge ou le blanc ? demanda-t-il enfin.

— Pour les roses ?

Il ne sut pas si elle se payait sa tête ou si...

— Ben, pour le vin, précisa-t-il.

— La même chose que toi, dit-elle prudemment pour ne pas faire de faux pas, ce qui semblait son inévitable spécialité dans le monde, vu toutes ces années passées au couvent.

— Un rouge léger, commanda Francesco.

Le barman esquissa un sourire : il était temps.

Il proposa, quelques secondes plus tard :

— Un beaujolais ?

Vin inoffensif et bon marché que Francesco accepta illico. Il se montra tout aussi complaisant lorsque vint le temps de le goûter.

— Ça va, décréta-t-il, parfaitement ignare dans cette science.

Le barman servit d'abord Gabrielle.

Qui vida son verre d'un seul trait, comme s'il s'agissait d'un verre d'eau ou d'un jus, avant même qu'il n'ait le temps de remplir celui de Francesco.

Qui regardait Gabrielle, étonné, et se demandait si elle n'était pas alcoolo ou quoi.

— J'avais vraiment soif, expliqua Gabrielle. La partie parfaite, c'est pire que le Sahara.

Le barman ne comprit rien, évidemment.

Mais si la nature a horreur du vide, selon Pascal, un barman aime toujours la vue d'un verre vide.

Ce en quoi il est pascalien ou « naturel » sans le savoir.

Aussi renouvela-t-il la consommation de Gabrielle.

Francesco n'eut même pas le temps de goûter son vin avant que Gabrielle ne vide son deuxième verre. Qu'elle posa, vide, sur le comptoir du bar, avant de décréter, sourire ravi aux lèvres, incompréhensible :

— Pas mal, ce beau jouet.

Francesco ne sut pas si elle avait dit beau jouet au beaujolais.

Il était un peu beaucoup dépassé par elle. Et par les événements.

Il sentit qu'il devait suivre le rythme, sinon il passerait pour un *twitt*. Ça passe quand tu chattes sur Twitter, sinon c'est embarrassant. À la fin. Et même au début. En ce siècle de vitesse.

Francesco fit en grimaçant cul sec.

Posa virilement, en tout cas bruyamment, son verre vide sur le comptoir.

Le barman ne demandait pas mieux que d'assister à un petit concours de buveurs orgueilleux.

Et il emplit son verre aussi vite qu'il put, puis remplit pour la troisième fois celui de Gabrielle.

Qui lui réserva le même sort et décréta :

— Pourquoi ils ne nous donnent pas de plus grands verres ? On gagnerait du temps.

Remarque qui ne tomba pas dans l'oreille d'un sourd. Aussi complaisant que commercial, le barman posa les plus grands verres qu'il avait sur le bar, et comme la première bouteille était vide ou presque, il en présenta une autre, identique, que Francesco n'eut d'autre choix que d'accepter, d'un hochement incertain de la tête.

Le barman ne se laissa pas prier, fit sauter le bouchon de la deuxième bouteille, qu'il ne prit pas le soin de faire goûter à Francesco, et servit aussitôt.

Francesco, qui ne buvait pour ainsi dire jamais, se sentit rapidement éméché.

Pas assez pourtant pour en oublier le but de cette rencontre.

Qui était de…

Mais il ne pouvait quand même pas, comme ça, à brûle-pourpoint, comme un véritable fou, avouer son but secret, qui aurait tout de suite éloigné la jeune femme : « Je dois me marier d'ici une semaine pour sauver mon père de la faillite et échapper aux griffes acérées d'une femme qui me veut comme mari. »

Il fallait la jouer finement, ce en quoi il n'excellait pas. Il était habitué de dire tout ce qu'il pensait, d'aller droit au but.

Mais là, malgré son ivresse naissante, il conservait un brin de lucidité, s'inventait des dons de stratège.

Amoureux.

Une astuce lui vint, le vin aidant.

— C'est quoi, pour toi, aimer ?

Le barman entendit cette question (*oh boy*!), leva les yeux au plafond, blasé, et s'éloigna. Leur deuxième bouteille n'était pas encore vide, de toute manière. Il avait du temps. Et d'autres clients.

— Aimer ?

— Oui, ta définition de l'amour, c'est quoi ?

— Ben, je ne sais pas. J'aime ma vie, je l'adore, même. J'aime mon travail, les roses, j'aime Mère.

— Mère ?

— Oui, la Sainte Vierge.

— Ah…

Cela l'émut, cette inhabituelle dévotion, car lui était fou de saint François d'Assise.

Alors ils avaient une folie en commun, c'était toujours ça de pris. Il n'y a pas de petits bénéfices quand vient le temps (incertain) de se trouver des atomes crochus. Surtout quand il y a péril en la demeure. Ou en la boulangerie.

— Alors l'amour, pour toi, c'est quoi? fit Francesco qui revenait à la charge.

Rendue sage par la troublante expérience des hot dogs *all dressed*, Gabrielle répliqua, véritable avocate sans l'avoir jamais été:

— Avant, dis-moi ce que c'est pour toi!

— Euh… hésita-t-il, car il avait l'impression qu'elle préférait ne pas lui répondre, qu'elle voulait le faire parler, comme bien des femmes en ont l'art — ou la manie — avec les hommes.

Il dit enfin, après avoir tourné sept fois la langue dans sa bouche devant Gabrielle qui était pour lui une des sept merveilles du monde, et probablement la première:

— Au début, je pensais: l'amour, je veux dire l'amour pour un autre être, pas pour son travail ou les millefeuilles (il lui fit un clin d'œil qui l'enchanta), c'est quand quelqu'un nous met tout à l'envers.

— Quand quelqu'un nous met tout à l'envers… répliqua-t-elle, mais il était impossible pour Francesco de savoir où elle voulait en venir, ce qu'elle pensait.

Il n'avait d'autre choix que de poursuivre.

— Ensuite, j'ai relu *Le Banquet* de Platon, son œuvre que je préfère.

Elle ne connaissait pas le classique, dit pourtant:

— Le banquet, ce serait pas une mauvaise idée, je commence à avoir faim.

À nouveau, il ne sut dire si la jeune femme était sérieuse, ou non, même si la plaisanterie était douteuse.

— Oui, je… Il y a un passage du *Banquet* que je sais par cœur tant je l'ai relu, médité. Il se lit comme suit : « L'amour c'est ce qu'on n'a pas, ce qu'on n'est pas, ce dont on manque, voilà les objets du désir et de l'amour. » Qu'est-ce que tu en penses ?

— J'en pense que c'est un peu déprimant, déplora Gabrielle.

Et cédant déjà, sans le savoir, à des habitudes de buveuse, elle cala pour s'en consoler le reste de son grand verre de vin. Francesco, craignant toujours d'être en reste, l'imita.

— À qui le dis-tu ! convint-il. Mais heureusement (il avait levé un index plein de promesses), il y a Aristote.

— Je sens déjà que je l'aime, celui-là, même si je ne le connais pas.

Francesco se frottait les mains, sourire aux lèvres :

— Attends, tu vas voir. Aristote prétend et c'est plus encourageant que Platon : « Aimer, c'est se réjouir. »

— Aimer, c'est se réjouir ! répéta Gabrielle, émerveillée, ah ! ce que c'est joli. Et c'est si vrai !

— Tu trouves ? Moi aussi, quand je te…

Il allait dire, bien entendu : « Quand je te vois, ça me réjouit ! » Mais ça ne se disait pas, c'était prématuré, ça ferait fuir toute femme normale. Elle semblait tout sauf une femme normale, mais mieux valait ne pas courir la chance.

Francesco ajouta prudemment, mais avec plein de sous-entendus :

— Aimer, c'est aimer regarder l'autre, c'est aimer le tenir par la main, lui parler ou même être avec lui sans rien dire, simplement penser à lui. Aimer, c'est se réjouir.

— Je suis tellement d'accord, tellement d'accord !

Encouragé, il lui posa une question qui serait essentielle pour la suite des choses, qui le déciderait ou non à aller de l'avant avec son plan.

— Est-ce que tu crois au coup de foudre ?

— Le coup de foudre? demanda-t-elle, avec un air de scepticisme que Francesco prit pour du cynisme et qui le découragea un peu alors que, à la vérité, c'était la première fois qu'elle entendait l'expression.

— Oui, reprit-il avec courage, est-ce que tu crois qu'on peut aimer quelqu'un dès le premier instant, dès le premier regard?

— Ah ça, oui!

— Vraiment? s'étonna Francesco, absolument ravi.

— Oui, moi, Juliette, je l'ai aimée dès le premier regard.

Francesco ignorait qui était Juliette.

Il ignorait que c'était un adorable yorkshire.

Pour Jonathan, le *pimp* du *tourist room*, il savait déjà.

Ou se doutait douloureusement.

Alors si, en plus, Gabrielle aimait une femme nommée Juliette et qu'elle et son *pimp* faisaient ménage à trois, c'était trop pour lui!

Il renoncerait à son plan.

Il épouserait Angela.

Ou il se tirerait une balle dans la tête.

Il fit pourtant comme s'il était *cool*, que rien ne pouvait le choquer, la dépendance de Gabrielle à un *pimp*, ses amours «trioliques» avec une autre femme.

— Juliette, elle est…

Il allait dire: coiffeuse elle aussi?

Mais Gabrielle se leva:

— J'ai trop bu de je ne sais pas trop quoi. Il faut que j'aille au petit coin.

Elle vacilla. Elle s'était levée trop vite, ignorante des effets, nouveaux pour elle, de l'alcool.

— Est-ce que tu veux que je t'aide?

— Non, non, assura-t-elle. Ça va aller.

Mais ça n'alla pas.

Pas très très loin en tout cas.

Car au bout de trois pas, Gabrielle s'affala de tout son long sur le plancher du bar.

Le barman souleva à nouveau les yeux : une autre qui ne savait pas boire !

Affolé, Francesco se porta aussitôt à son secours, l'aida à se lever, secrètement persuadé que son plan ne marcherait pas, et cela lui mettait la mort dans l'âme.

42

À la sortie des Âmes-Frères, Francesco prit la vacillante jeune femme par la taille. Elle ne protesta pas, comme s'ils formaient déjà un couple. Cela le troubla. D'autant que lui-même était un peu soûl. Il supporta avec émoi la déroutante Gabrielle jusqu'au *tourist room*.

Où elle vivait avec un homme, son *pimp*, sans doute.

Et selon toute apparence avec une femme : Juliette, au sujet de laquelle Francesco n'avait pas osé demander de précisions, pour ne pas passer pour un vulgaire jaloux.

Pour qu'elle ne devine pas ses sentiments naissants.

Ou son plan.

D'ailleurs, il ne savait plus ce qui comptait le plus pour lui : qu'elle dise oui à la bizarre proposition qu'il avait en tête ou qu'elle l'aime.

Comme il avait commencé à l'aimer, peut-être.

Ce qui était rapide, et un peu fou après quelques heures à peine passées ensemble.

Mais de même que, raisonnait-il dans son inhabituel début d'ivresse, on peut passer des jours entiers avec un être sans éprouver le moindre émoi, quand, au bout d'une heure, d'une minute, d'une seconde même, et peut-être de vingt ans dans une vie ancienne, on est troublé, anéanti, prêt à tout, même à se marier, à partir au bout du monde en laissant tout tomber, tout tomber d'une vie qui nous pesait et dont on ne pensait plus pouvoir s'échapper, comme des prisons des Plombs dans l'ancienne Venise?

Et ne faut-il pas tenir compte de ce qui se passe si vite dans notre cœur — même si un banquier, comme le respectable et impitoyable banquier de son père, nous dit: « Vous errez, il me faut des chiffres et un bilan de votre passé pour votre avenir. Amoureux. »

Il ne pleuvait plus, au moins.

Même qu'il faisait très beau.

Comme dans la vie de Francesco, peut-être.

Une chose était certaine, il n'y avait plus d'orage dans l'air, juste quelques nuages et un ciel bleu.

Il aurait pu lui parler au sujet du gant.

Mais il ne le sentait pas.

Et il craignait de dire une bêtise, qu'il regretterait forcément, une fois redevenu parfaitement lucide.

En outre, il se rendait compte, non sans une émotion encore plus grande, que la jeune femme qu'il tenait avec émoi par la taille aurait pu avoir les cheveux bruns, ou roux ou même verts ou mauves, comme la mode en sévissait, les yeux noirs ou pers, cela n'aurait probablement rien changé.

C'était quelque chose d'impalpable en elle qui le troublait, qui l'attirait, au-delà même de son caractère, si primesautier, si imprévisible.

Une sorte de présence, comme le subtil parfum d'une rose invisible.

Et qui venait peut-être, Dieu seul le savait, du fait qu'elle avait passé tant d'années dans la roseraie de la Vierge.

Ne devient-on pas… ce qu'on fait, du moins dans une certaine mesure, ce qu'on fait longtemps, surtout si de surcroît on le fait de tout son cœur, de toute son âme?

Francesco était tout absorbé par cette expérience nouvelle.

Tenir par la taille la femme de sa vie, peut-être.

La femme de sa vie qui s'appuyait sur lui, comme si elle avait besoin de son épaule.

Mais c'était peut-être seulement dû à son ivresse.

Délicieuse incertitude des débuts, qui en fait tout le charme.

Enfin ils arrivèrent devant le *tourist room* à la porte sordide et décolorée.

Cela ramena Francesco les deux pieds sur terre, lui rappela le *pimp*, et Juliette.

Pas assez pourtant pour qu'il n'ose pas proposer à Gabrielle, même si c'était au-dessus de ses moyens, et pas dans ses habitudes du tout, mais il sentait qu'il devait jouer sa meilleure carte :

— On va dîner au Ritz samedi soir ?

43

Gabrielle entreprit de monter quatre à quatre les marches du *tourist room.*

Mais à la troisième — ou cinquième — marche, malgré son assez longue promenade depuis les Âmes-Frères et le bon air du soir qu'elle avait respiré à pleins poumons, elle eut un étourdissement et dut s'appuyer contre le mur.

Une pause pour faire un «360 degrés» sur elle-même, et elle reprenait son ascension glorieuse au bout de laquelle elle trouva une Juliette aux yeux désespérés, aux membres agités de tremblements, qui l'attendait avec une idée bien précise derrière la tête. Et peut-être une colère ou un reproche légitimes.

En effet, le mignon yorkshire n'attendit même pas son câlin de réception pour courir vers le frigo. Puis, anxieuse de se faire comprendre, elle regarda sa maîtresse et redressa les oreilles, en inclinant la tête, l'air de dire : «Tu comprends ce que je veux dire ou je dois te faire un dessin?»

— Oh! Mon Dieu! Personne ne t'a nourrie! s'exclama Gabrielle.

Et elle se tourna spontanément vers Jonathan qui, allongé sur le lit, semblait catastrophé, les yeux rivés sur l'écran de télé.

Il ne daigna même pas la saluer.

Elle haussa les épaules.

Elle nourrit Juliette puis s'approcha de Jonathan.

— Qu'est-ce qu'il y a ? Tu as l'air de…

Il se contenta de pointer un index catastrophé vers l'écran.

Il écoutait LCN.

La jeune femme se tourna vers la télé.

Elle le vit.

Ou plutôt vit sa photo.

Elle vit aussi la photo de Louis, son amoureux.

Et celle de son père, le maire de Saint-Jérôme.

— Il faut absolument que tu me fasses une nouvelle tête, expliqua Jonathan, sinon je suis perdu.

44

Cette nouvelle tête, Gabrielle la lui fit le lendemain matin, chez Michel Ange, dès l'ouverture du salon.

À dix heures trente à peine, Jonathan était littéralement métamorphosé.

Ses cheveux blonds étaient devenus noirs.

Précaution supplémentaire, Gabrielle lui avait artistiquement créé une sorte de houppe à la Tintin, qui était du meilleur effet.

— Louis n'aimera peut-être pas! s'inquiéta à haute voix Jonathan, car l'amour de sa vie avait toujours craqué pour ses cheveux blonds.

— Louis est dans la coma! trancha avec pragmatisme Josette, qui avait assisté à toute la transformation. Et tu es recherché, mon petit chéri, il faut que tu changes de gueule.

Elle reprenait comme malgré elle l'expression de Carlo (mon petit chéri!) qui n'était pas encore là: il avait un terrifiant rendez-vous avec le gérant de la banque, à onze heures. Josette ajouta, philosophe:

— *On ne fait pas d'omelette sans casser des œufs!*

Une pause, et elle ajoutait, vraiment embêtée:

— Reste le problème de tes yeux. Ils sont trop bleus et trop amoureux.

Paul, qui avait été mis au fait de la situation et avait tout entendu, offrit aimablement sa contribution du moment: ses Ray Ban personnelles! Qu'il tira avec une hésitation de sa pochette.

— Essaie avec ça!

Jonathan, toujours inquiet, chaussa les lunettes.

— Tu ressembles à Tom Cruise dans *Top Gun*! observa Paul, consolé de son sacrifice par son effet étonnant sur la tête du recherché.

Qui n'était pas coupable, sauf d'être gai, Paul en avait tout de suite été convaincu.

— C'est vrai? dit Jonathan, à la fois excité et flatté.

— Non, pas vraiment, décréta Josette. Mais ça va faire le job. Tu es méconnaissable. C'est la seule chose qui compte.

Gabrielle, qui n'avait jamais vu un film américain, se contentait de sourire.

Josette allait lui demander son avis quand une cliente fit une entrée désespérée dans le salon: elle réclamait une coupe — et surtout une prédiction —, immédiate, de Gabrielle.

Qui parlait supposément avec la Sainte Vierge.

C'est du moins ce que lui avait assuré une de ses meilleures amies.

Juliette, que Gabrielle avait emmenée au salon avec elle pour se faire pardonner sa négligence de la veille, était paisiblement assise sur le comptoir, avec une adorable boucle rose entre les oreilles, retenant une petite touffe de poils pointue comme une corne, gracieuseté de Josette qui était tombée immédiatement amoureuse d'elle!

Et, la tête inclinée, elle regardait Jonathan avec un brin de scepticisme.

Ou de reproche parce que, la veille, il avait oublié de la nourrir, vu son drame intime qui se déroulait à la télé.

45

Armande Villefranche, une jolie brunette qui portait fort bien sa jeune quarantaine, avait poussé fébrilement la porte du salon de coiffure après avoir roulé pendant une demi-heure dans les rues de la ville.

Un peu comme une folle ou une désespérée, incapable d'arrêter de pleurer.

On l'aurait été à moins.

Oui, à beaucoup moins.

Elle venait d'apprendre la pire nouvelle de toute sa vie, la pire nouvelle.

Amélie, sa fille de neuf ans, venait d'être diagnostiquée cancéreuse !

Amélie, la prunelle de ses yeux, la grande joie de sa vie, la seule chose qui lui restait après le naufrage de son mariage.

Amélie qui devrait bientôt passer chez le coiffeur, elle aussi, avant les traitements de chimio qui l'attendaient, pour ne pas devoir subir le douloureux spectacle de ses cheveux qui tomberaient, qu'elle trouverait, le matin, sur son oreiller.

Tout de suite, chez Armande Villefranche, une femme qui y était naturellement disposée, une épouvantable migraine s'était manifestée.

Et elle avait un mal de tête carabiné, même après les deux cachets de Tylenol extra fort qu'elle s'était empressée d'avaler.

Armande Villefranche ne croyait pas à la Sainte Vierge ni à tout ce qu'elle appelait des bondieuseries. Mais à la fin, elle avait cédé : le chagrin attise la foi !

Dès que Gabrielle se mit à lui démêler les cheveux, qu'elle venait de laver, elle remarqua :

— On dirait que la tête va vous exploser.

— Comment savez-vous ça ?

— Je ne sais pas, je le sens dans mes mains, c'est comme des nuages noirs qui sont prisonniers de votre tête. Vous n'auriez pas par hasard un grand malheur ?

Formulation un peu curieuse, mais qui trouva un écho immédiat chez Armande Villefranche. La larme à l'œil, elle se confia :

— Oui, c'est ma fille de neuf ans, je viens d'apprendre qu'elle a la leucémie…

— Oh ! désolée, vraiment…

— Le médecin dit qu'elle a des chances de guérir, mais je suis pas une idiote, ça veut aussi dire qu'elle a des chances de mourir. Si je la perds, je perds tout, tout.

Gabrielle restait silencieuse, émue par la tristesse infinie de cette histoire.

— Pourquoi ça m'arrive à moi, poursuivit la cliente, à moi qui ai juste un enfant et qui ne peut plus en avoir ? Pourquoi c'est pas arrivé à ma chipie de sœur qui a cinq enfants et qui est mariée à un MÉ-DE-CIN ?

Elle avait prononcé ce mot en détachant de manière insistante et dérisoire chaque syllabe, comme pour marquer son mépris alors qu'elle ne faisait que trahir sa jalousie.

Gabrielle entra dans son état second si fréquent et décréta :

— Mère dit que vous devriez essayer de ne pas médire pendant trois semaines, même si c'est une épreuve difficile pour vous, dans cette incarnation. Ça va aider à la guérison de votre fille.

— Elle en sait quoi, de ma fille, la Sainte Vierge ? Puis premiè-rement, si elle s'intéresse tellement à son cas, pourquoi elle l'a laissée tomber malade ? Pourquoi elle a pas laissé le cancer se jeter sur quelqu'un d'autre ?

Elle regretta tout de suite ce qu'elle venait de dire. C'était sorti comme ça, dans l'irrésistible logorrhée de sa médisance coutumière !

Pour toute réponse, Gabrielle déclara :

— Mère dit que votre fille va perdre ses beaux cheveux roux, mais qu'ils vont repousser.

À ces mots, la cliente se mit à pleurer : si Gabrielle avait pu deviner ce détail-là, les cheveux roux de son enfant, c'était, à n'en point douter, qu'elle pouvait parler à la Sainte Vierge ! Si elle avait été brune ou blonde, ç'aurait pu être un hasard. Mais des rousses, il n'y en avait pas à tous les coins de rue !

Lorsque Gabrielle eut fini de la coiffer, madame Villefranche lui avoua, la première étonnée par ce petit miracle :

— C'est incroyable, je n'ai plus du tout mal à la tête. Ma migraine a disparu comme par enchantement !

Elle se leva, telle une miraculée, régla avec allégresse sa note, donna un généreux pourboire à Gabrielle et partit.

Toute la journée, ça ne dérougit pas.

Gabrielle avait toujours une nouvelle cliente.

À dix-huit heures, encore fraîche comme une rose, comme si elle n'avait pas levé le petit doigt de la journée, elle posa enfin les ciseaux, devant une Juliette qui se réjouissait : sa canine patience avait des limites !

— On va prendre un « verre de *drink* » ? suggéra Josette, qui, elle aussi, avait bossé ferme.

Et en avait plein le c… : elle avait eu des clientes plutôt chiantes. Ou elle était fatiguée.

Because le beau Carlo.

Ça arrivait.

Surtout entre le lundi et le vendredi.

Carlo, lui, se frottait les mains.

Enfin un peu de business, et surtout du nouveau business, ce dont justement le salon avait cruellement besoin.

De nouvelles clientes attirées par la petite coiffeuse qu'il avait hésité à embaucher.

Comme quoi tu sais jamais dans la vie !

Donne une chance au coureur… ou à la coureuse !

Surtout si elle est coiffeuse de son état, même sans diplôme, et que tu as un salon de coiffure qui ne fait pas ses frais.

Oui, Carlo se frottait les mains. Il n'aurait peut-être pas besoin de son banquier, et son comptable ne serait plus sur son dos.

Gabrielle réfléchit un peu avant de répondre à Josette, peut-être parce qu'elle se demandait ce que voulait dire au juste «un verre de *drink*», qui, bien sûr, était simplement un verre, mais dans le langage facétieux de son adorable collègue. Qui aimait un homme qui ne l'aimait pas. En tout cas, pas encore. Gabrielle dit enfin :

— Oui, bonne idée.

Mais elle se frappa aussitôt le front :

— Mais non, je ne peux pas.

— Pourquoi ?

— Ben, je vois Francesco ce soir.

— Pour vrai ? Vous allez où ?

— Au Ritz.

— Au Ritz ! Il ne lésine pas. Il doit être fou de toi, c'est sûr.

— Ben je sais pas, il ne me l'a pas dit.

— Bien sûr qu'il te l'a pas dit !

— Pourquoi ?

— Ben, parce que les hommes, leurs sentiments, ils les expriment à peu près comme des sourds-muets analphabètes.

— Ah bon, je savais pas.

— Je te le dis. Crois-moi sur parole !

— Si tu le dis.

— Il y a une chose par exemple, les hommes, ils ont pas beaucoup de mots pour les sentiments, mais pour la beauté, ils voient
tout. Alors tu peux pas aller au Ritz comme ça.

— Comme ça ? Ça veut dire quoi ? Je te suis pas.

46

— Ben, je veux dire, expliqua Josette, que tu peux pas te rendre au Ritz pas maquillée.

— Pourquoi?

— Ben parce que c'est l'hôtel le plus chic de Montréal. Laisse-moi voir ce que je peux faire!

Josette maquilla avec application la jeune femme.

En fait, elle mit vraiment le paquet, comme on dit.

Elle avait du talent: Gabrielle était littéralement métamorphosée.

— Qu'est-ce que tu en penses? dit-elle en lui demandant son avis devant la glace.

Gabrielle ne savait pas trop quoi dire.

Sa chienne Juliette la regardait avec une sorte de scepticisme. Ou de reproche. Comme si elle ne la reconnaissait pas. Elle émit même un petit grognement qui amusa les deux femmes.

— Je... c'est différent... je ne me ressemble pas, j'espère qu'il va me reconnaître, répliqua enfin Gabrielle.

— Ah! pour ça, ne t'inquiète pas, la rassura la jolie coiffeuse aux cheveux roux.

Qui, avant de se séparer d'elle, lui prodigua un ultime conseil:

— Pas de pantalon au Ritz. C'est trop chic. Joue *safe*. Mets ta plus belle robe!

47

Sa plus belle robe, même si elle avait le choix, vu ses récents achats, elle décida, un peu bizarrement, que ce serait sa tunique de sœur ! Qu'elle n'avait jamais portée.

Ce serait une première.

Comme c'était une première pour elle d'aller au Ritz.

Comme pour Francesco d'ailleurs, qui ne roulait pas sur l'argent.

Il s'en fallait de beaucoup.

Maquillée quasiment à outrance, drapée dans sa belle soutane bleu et blanc, portant pour la première fois de sa vie son voile de religieuse, Gabrielle se regarda une dernière fois dans le miroir et demanda à Juliette, qui l'observait :

— Maman est jolie ou quoi ?

Juliette se contenta d'incliner la tête avec scepticisme.

Gabrielle la flatta, la rassura :

— Maman ne rentrera pas tard. Promis.

Et elle quitta la chambre, descendit avec excitation les marches du *tourist room*.

Elle croisa une prostituée accompagnée d'un client qui, la voyant, se demanda évidemment où Dieu — ou où Diable ! — il s'était laissé entraîner.

Il baissa la tête, comme s'il craignait les foudres du Ciel. D'autant que la sœur (une simple d'esprit ou quoi !) lui souriait curieusement de toutes ses dents. Comme s'il l'avait simplement croisée dans un couvent ou dans la rue.

Le tenancier de l'établissement fut aussi surpris de la voir, ne la reconnut pas, en tout cas se gratta la tête. Il se demandait comment il avait pu laisser monter une religieuse à l'étage sans s'en rendre compte.

Peut-être pour la même raison qu'il avait tant de difficulté, ce jour-là, avec le mot mystère du *Journal de Montréal* : il avait trop fêté la veille. Ou il vieillissait. Ou les deux.

Il haussa les épaules, se remit à sa fascinante énigme quotidienne.

Gabrielle voulait tout sauf arriver en retard à ce rendez-vous amoureux, mais à la sortie du *tourist room*, elle tomba sur Simona, la prostituée russe membre en règle de Mensa, qui fumait une cigarette blonde et pleurait, assise sur un banc du trottoir.

Qu'elle faisait depuis trop longtemps.

Elle pleurait parce qu'un client avait exigé d'elle des choses pas entendues au début. C'est souvent comme ça. Une fois dans la chambre, le contrat ne tient plus ou l'homme demande des extras. Pour lesquels il ne veut pas payer, même quand il conduit une BM ou une Porsche. Le client avait été violent, elle avait cédé.

Dans un élan spontané, Gabrielle s'assit auprès d'elle. Simona ne la reconnut pas et se demanda ce que l'autre pouvait bien faire là. Si c'était pour lui prêcher la bonne parole, pour lui débiter des bondieuseries, qu'elle avait tort de faire la rue et autres fadaises de la même saveur, Simona n'était pas preneuse.

— Est-ce que je peux faire quelque chose pour toi ? demanda cette dernière avec un peu d'agressivité et en tout cas d'impatience.

— Non. Mais moi, je peux.

— Est-ce que c'est pour me parler de Dieu ? Parce que si c'est le cas, vous lui direz qu'il arrive vingt ans trop tard.

Sans répondre à sa question, Gabrielle s'empara de la main gauche de Simona. Celle-ci se laissa faire, même si elle ne reconnaissait pas Gabrielle, vu sa robe de sœur, son voile.

C'est si rare, pour une prostituée, les manifestations de tendresse spontanées.

Et non monnayées.

Étonnée par son geste, Simona la dévisagea, la replaça enfin.

— Ah! Gabrielle… C'est toi!

Elles s'étaient présentées l'une à l'autre, à force de se croiser.

— Qu'est-ce que tu fais habillée comme ça?

— J'ai un rendez-vous au Ritz.

— Au Ritz? Ah, ajouta-t-elle en dissimulant avec peine son embarras, je vois.

Mais visiblement, elle ne voyait pas.

Elle ne chercha pas d'explications supplémentaires. Tout était bizarre chez cette jeune femme, de toute manière. Elle ne *fittait* pas dans le décor.

Contre toute attente, Simona se mit à pleurer, sans raison apparente. Sinon toute sa vie. Gabrielle se mit spontanément à lui flatter les cheveux. Comme on fait avec un chat, ou un enfant, ou un vieux.

Aussitôt une vision la frappa, et son regard se voila de manière infiniment «auspicieuse»:

— Tu vas rencontrer un homme.

— Ah! ça, pour en rencontrer, des hommes, j'en rencontre!

— C'est un homme qui te donnera de l'argent.

— Ah! bon, original comme prédiction! ironisa Simona, qui passait parfois dix hommes par jour, les bons jours, quand elle avait la force de ne pas vomir entre deux clients.

Elle ajouta, dérisoire:

— Un petit chausson aux pommes avec ça?

Gabrielle ne connaissait pas le gag, plaisamment né des offres de McDonald's lorsqu'on commande un simple burger, et qu'ils veulent soulager davantage notre bourse.

— Il va aussi te demander ta main, décréta-t-elle.

À cette annonce inattendue, le visage de Simona s'éclaira, tout naturellement. C'était quand même mieux comme prédiction !

— Est-ce que tu peux me dire quand ?

Gabrielle ne put pas.

La ligne avec la Vierge s'était tout à coup interrompue. Peut-être parce que la jeune femme était trop pressée. Et que le Ciel et la vitesse font mauvais ménage.

— Euh... non, je suis déjà en retard pour mon rendez-vous. Mais on va se revoir, la rassura Gabrielle, qui sentait toute la déception de Simona.

Ça se voyait dans ses magnifiques yeux verts, et aussi dans la fossette résignée qui s'était dessinée dans sa joue gauche, où elle avait une petite cicatrice, juste à la commissure des lèvres, un coup de poing que son père lui avait donné, la première fois qu'elle avait tenté en vain de le refuser.

48

Francesco faisait les cent pas à la porte du distingué Ritz, récemment rénové à grands coups de millions.

Il semblait de plus en plus nerveux, de plus en plus découragé.

Il en arrivait à la déplorable conclusion que Gabrielle ne viendrait pas.

Elle était ivre, de toute évidence, lorsqu'il lui avait lancé l'invitation.

Et même si elle ne l'était pas, elle ne l'avait probablement pas pris au sérieux.

Ou elle avait vu dans son jeu, son jeu ridicule qui avait pour but de l'épouser avant une semaine.

Comme si les gens se mariaient ainsi, au bout de quelques jours, même frappés par la maladie d'amour.

Il vit son propre reflet dans la vitrine de l'hôtel. Il s'était mis sur son trente-et-un. Il se trouva ridicule.

Il consulta sa montre pour la dixième fois depuis une demi-heure, car, dans son impatience, il était arrivé avec quinze bonnes minutes d'avance, ce qui fait toujours paraître le retard de l'autre plus grand alors qu'il est souvent minime et fort excusable.

Pourquoi ne pas repartir ?

Pourquoi perdre davantage de temps à attendre ?

Gabrielle, c'était évident maintenant, ne viendrait pas.

Et lui épouserait Angela.

Ou irait se jeter en bas du pont Jacques-Cartier.
Mais non, il ne pouvait pas.
C'était contre sa philosophie de vie. Justement.
Et cela ne réglerait pas le problème de son papa.

49

La vieille Jaguar de Gabrielle (que Francesco n'avait encore jamais vue) s'immobilisa bruyamment à la porte du Ritz.

Pressée, la jeune femme était arrivée un peu vite et avait dû appliquer les freins pour ne pas emboutir le véhicule devant elle, dont le conducteur donnait avec aménité un pourboire au valet. Usage que la jeune femme remarqua et prit en note, avec un sourire d'intelligence.

Francesco, qui s'éloignait déjà, le cœur brisé, entendit le crissement de pneus, se retourna et fut alors témoin de cette scène inhabituelle : une religieuse au volant d'un Jaguar décapotable !

Il se fendit d'un sourire et, malgré son découragement, voulut rester encore un peu devant le Ritz pour voir de quoi il retournait. Ou c'était l'ange Michel qui veillait au grain, va savoir au tournant décisif de ta vie !

Le valet, en livrée, s'approcha tout de suite pour servir la surprenante religieuse.

— Ma sœur, c'est un honneur !

Il remarqua alors que non seulement elle était belle, mais qu'en plus elle était maquillée, et abondamment de surcroît. Pas un spectacle fréquent ni au Ritz ni ailleurs, si bien qu'il dut dissimuler son étonnement.

Suspicieux, il jeta un regard à la ronde, un sourire sceptique aux lèvres, en cherchant les caméras, cachées ou autres. C'était peut-être un tournage dont on ne l'avait pas informé. Pas surprenant, on ne lui disait jamais rien, vu qu'il était nouveau.

— Vous jouez dans un film ? tenta-t-il.

— Un film ? Non.

— Oh ! toutes mes excuses, ma sœur. Je croyais que...

Il ouvrit la portière. Gabrielle descendit en soulevant sa robe. Le valet nota, d'autant qu'il s'était incliné comme on le fait si souvent dans son métier, qu'elle avait la cheville fine, des escarpins. Et des nylons noirs, sa préférence. Il eut un émoi. Il fallait quand même le faire, pour une nonne.

Surtout pour une nonne qui ne jouait pas dans un film.

Mais il y avait peut-être un bal costumé dont on ne l'avait pas davantage informé.

Avant de descendre de la voiture, Gabrielle avait pris les clés, petite distraction que le valet nota tout de suite, heureusement.

— Vous n'oubliez rien, ma sœur ?

— Euh... ah oui...

Imitant le client précédent, elle donna un pourboire.

Plutôt généreux.

Un billet de cent dollars !

Le valet arrondit les yeux, sourit, prit bien son temps pour fouiller dans sa poche, un vieux truc pour décourager les gens pressés — et riches — d'attendre leur monnaie, même avec un gros billet.

Ça semblait marcher avec Gabrielle qui, n'attendant pas, commençait à s'éloigner.

— Madame, je veux dire ma sœur, je vais avoir besoin de...

Sans attendre la fin de sa remarque, elle dit :

— Ah ! désolée !

Et contre toute attente, elle lui tendit un autre billet de cent dollars.

Cette fois le valet sourit largement.

Elle était vraiment bizarre, ou riche, cette sœur.

Ou bizarre comme la plupart des gens riches, du moins selon sa jeune expérience des clients du Ritz.

Il hésita, pensa à refuser le pourboire. Mais il ne voulait pas l'insulter, brimer sa générosité.

— Merci, c'est vraiment généreux de votre part. Mais je vais aussi avoir besoin de vos clés. Pour garer votre voiture.

— Ah! oui, évidemment.

Elle les lui lança un peu cavalièrement. Il les attrapa malgré son étonnement. La jeune femme lui proposa aussitôt un *high five*, comme elle en avait découvert la joie aux Allées Folles. Le valet, qui ne voulait pas la désobliger, et qui venait de s'enrichir de deux cents dollars, n'eut d'autre choix que d'accepter.

Il sautait dans la Jaguar lorsque Gabrielle aperçut le beau Francesco, qui attendait sur le trottoir et avait assisté à ce spectacle un peu bizarre, surtout l'étonnant *high five* dont il ne s'expliquait pas l'origine.

Elle le trouva encore plus beau que la fois précédente.

Il était tout en noir: pantalon, veston et chemise. De satin.

Avec ses cheveux bien gominés, sa peau bronzée et ses yeux verts, cela lui donnait indéniablement un style.

Elle s'avança vers lui avec un large sourire, heureuse de le revoir malgré son infinie nervosité.

Quelque chose d'inattendu se produisit alors.

50

Gabrielle s'était arrêtée à deux pas devant Francesco.

Elle souriait à pleines dents.

Mais il ne réagissait pas.

Il ne la reconnaissait tout simplement pas.

C'était sans doute son maquillage.

Ou plus certainement sa tenue de religieuse.

Ou les deux à la fois.

Et puis son voile cachait complètement ses cheveux blonds. Comme elle restait avec insistance devant lui, avec un sourire qu'il trouvait niais ou en tout cas curieux à la fin (il avait du succès avec les femmes, mais là, quand même!), il demanda à cette religieuse pour le moins originale qu'il avait vue descendre d'une Jaguar décapotable, et donner au valet un *high five* glorieux :

— Je peux vous aider, ma sœur?

— Francesco, c'est moi, Gabrielle! Tu ne me reconnais pas?

Il reconnut en tout cas sa voix, sa voix cristalline et pure qu'il adorait, scruta son visage et, embarrassé, la replaça enfin derrière ce maquillage un peu lourd qu'il ne lui connaissait pas, enfin il ne l'avait vue que trois fois, mais tout de même…

— Ah! je… excuse-moi, c'est parce que, dans cette tenue-là…

Il regarda la Jaguar s'éloigner, conduite par le valet qui sifflait, enrichi de deux cents beaux dollars inattendus, et cela ne fit que

renforcer son sentiment qu'elle exerçait un métier pas très catho-
lique. Malgré sa tenue qui justement l'était.

C'était à n'y rien comprendre!

Francesco ne savait s'il devait donner la main à Gabrielle ou
lui faire la bise. Il ne fit ni l'un ni l'autre, peut-être en raison de
sa tenue. D'ailleurs, il fallait bien qu'il la questionne à ce sujet.
C'était trop bizarre.

— Je ne suis pas sûr de comprendre, pour le… déguisement.

Il avait hésité avant de prononcer le mot « déguisement », pour
ne pas l'offusquer.

— Le déguisement ?

— Oui, je… je veux dire : ta tunique de sœur.

— Josette m'a dit que pour le Ritz, il ne fallait pas lésiner. Alors
j'ai mis ma plus belle robe.

— Ah bon… fit-il avec un sourire embarrassé, car il n'était pas
plus avancé. Mais… entrons, si nous ne voulons pas perdre notre
réservation.

Le portier leur ouvrait avec étonnement la porte (comme
couple bancal, c'était réussi!) lorsque l'ingénieur déchu, à qui
Francesco donnait parfois du pain le matin, et quelques conseils
pour la gouverne de sa vie, place Émilie-Gamelin, s'avança vers
eux. Il sévissait aussi rue Sherbrooke Ouest, parfois, *because* les
touristes bien nantis et les musées : les gens bien ont mauvaise
conscience de ne pas donner, même s'ils méprisent en général
ceux qui n'ont pas réussi dans la vie. Il avait reconnu le beau
Francesco.

— Ah! si c'est pas mon cher boulanger! Ma sœur, dit-il à l'endroit de Gabrielle, enchanté. Est-ce que vous auriez pas un petit
pain de Dieu sur vous ?

— Euh… non, désolé.

— C'est parce que j'ai pas mangé depuis ce matin, et je me
demandais si vous ne pouviez pas m'allonger quelques billets, j'ai
vu un spécial deux pizzas pour le prix d'une, de l'autre côté de la

rue. J'en apporterais une à la blonde qui a pas de dents et qui a perdu son enfant. Elle non plus a pas mangé de la journée.

— Oui, peut-être, je... attendez que je voie... fit Francesco en mettant la main à sa poche avec un certain embarras, pas qu'il ait eu honte de cette fréquentation, c'était seulement la timidité d'être avec Gabrielle, sans doute, que l'ingénieur avait prise pour une sœur, comme probablement tous les clients qui entraient et sortaient de l'hôtel et la saluaient parfois respectueusement. Ou parfois avec un froncement de sourcils quand ils notaient les ravages inexplicables de son maquillage sur son visage.

Mais Gabrielle devança le boulanger et allongea comme par magie un billet de cent dollars à l'ingénieur déchu qui, craignant qu'elle ne lui demande de lui rendre de la monnaie, dit non sans esprit: *cent fois merci*! et déguerpit.

Nouvel étonnement de Francesco devant cette grande générosité, fort admirable certes, mais un peu suspecte, non?

Car elle renforçait le soupçon qui le tuait.

Une simple coiffeuse ne donnait pas pareils pourboires! Gabrielle monnayait sans doute ses faveurs.

51

Ils étaient attablés depuis une minute à peine lorsque Francesco, conscient que lui et Gabrielle étaient l'objet de la curiosité de plusieurs clients, posa enfin la question qui lui brûlait les lèvres :

— Est-ce que tu es une sœur ou quoi ?

— Ah, non, même si j'ai failli l'être, à une journée près.

— Ah ! bon. Comment se fait-il ?

— J'ai vécu dans un couvent pendant vingt et un ans, ma mère m'avait abandonnée à sa porte à ma naissance.

— Oh ! fit-il avec émotion.

Cela le tua, cet aveu.

— Mais juste la veille de prendre le voile, poursuivait la jeune femme, l'ange Michel m'est apparu, et il m'a dit de venir ici.

— Ici ?

— Oui. Au Village.

Il arrondit les yeux.

— Avec les anges, précisa Gabrielle, il faut pas poser trop de questions, ils ont leur petit caractère ; il faut juste faire ce qu'ils disent parce qu'ils ont toujours raison et ils aiment pas trop donner des explications. C'est comme avec la Sainte Vierge.

— La Sainte Vierge ?

Elle n'eut pas le temps de répondre à la question. Le garçon apportait les flûtes de champagne que Francesco avait commandées avec une certaine hésitation : elles coûtaient seize dollars pièce, et comme il n'avait pas un budget illimité, loin de là...

Fidèle à elle-même, Gabrielle s'empara de la flûte et la vida d'un seul coup, devant les yeux ahuris du serveur.

— Ah ! C'est drôle ! Ça pique la langue ! commenta-t-elle aussitôt. Est-ce que je peux avoir un autre verre ?

— Bien sûr, ma sœur, acquiesça le serveur.

C'était de la musique à ses oreilles, cet enthousiasme champenois. Mais, se tournant vers Francesco, il voulut tout de même vérifier :

— Vous ne préférez pas prendre une bouteille, tant qu'à y être ?

Pour s'offrir une bouteille de Veuve Clicquot, il fallait allonger deux cents balles, plus les taxes et le service. Le coup de fusil. Francesco grimaçait malgré lui. Mais le commentaire du serveur le convainquit :

— Ça va vous coûter moins cher qu'au verre.

— Dans ce cas... se résigna Francesco.

Et cependant que le serveur s'éloignait, il prit une minuscule gorgée de champagne. Mais cela ne sembla pas suffire à lui donner le courage dont il avait besoin pour tirer les choses au clair avec la jeune femme à la tenue surprenante.

À la table voisine se trouvait un couple de touristes américains septuagénaires qui, visiblement, étaient outrés de la situation. L'homme portait un chapeau texan de dix gallons, qui trahissait ses origines. La femme pinçait les lèvres, vraiment choquée. Non seulement cette sœur se maquillait, mais en plus elle buvait ! Jolie, la société moderne !

Francesco vit leur indignation, crut bon de s'en excuser en esquissant un sourire embarrassé. La Texane pensa qu'elle lui avait plu, lui retourna son sourire. Francesco, décidément, faisait mouche avec toutes les femmes ! Même assis en la surprenante compagnie d'une religieuse !

— Dans le *tourist room*... osa demander Francesco, tu vis seule ?

— Non. Avec Jonathan. Il est dans de beaux draps.

— Dans de beaux draps? Je ne comprends pas. Tu dis ça parce que c'est un *pimp*?

— Un *pimp*? C'est quoi? dit-elle à voix un peu haute.

Leurs voisins de table, les Texans scandalisés, entendirent le mot. Ils parlaient un français approximatif, mais le mot *pimp* est anglais. Et laid. À leurs prudes oreilles en tout cas.

— Ben, un souteneur.

— Je sais pas. Je sais juste qu'il est recherché par la police.

— Il est recherché?

— Oui, la police croit qu'il a voulu tuer son petit ami. Ils sont gais. Est-ce que c'est un crime?

— Euh… non, certainement pas, répliqua Francesco.

Même que c'était plutôt une bonne nouvelle. Une très bonne nouvelle.

Ne lui restait qu'une dernière vérification à faire avant de soumettre sa proposition.

— Et Juliette?

— Ah! Juliette! J'ai tellement hâte de te la présenter. C'est un amour.

À côté d'eux, le couple sourcillait à nouveau. La religieuse aux mœurs décidément débridées aimait les femmes!

«Toutes les prostituées sont lesbiennes!»(traduction du traducteur: moi!), décréta avec dégoût la femme à son mari.

Il ne put retenir un sourire ravi.

Qu'il dut rapidement réprimer.

Sa femme en avait aussitôt compris la coupable origine.

— Dès que je l'ai vue à L'Animalerie du Village, poursuivit Gabrielle, les yeux rêveurs, j'ai su qu'entre elle et moi ce serait pour la vie.

— Ah! fit avec déception Francesco. Tu l'as rencontrée à L'Animalerie du Village?

— Oui. Et dis-moi si c'est pas le destin, ça: quand j'ai voulu aller la chercher, il y a un homme qui venait juste de l'acheter. Mais il m'a dit que cette chienne était à moi, du moins si je la voulais toujours. Elle lui sautait tout le temps des mains pour venir se jeter dans mes bras.

— Ah! c'est une chienne?

— Oui, un yorkshire. Mais pour moi, c'est plus qu'une chienne, si tu savais comme elle est intelligente! Elle comprend tout.

Dégoûtée, la Texane, qui avait compris des bribes de la conversation murmura à son mari:

« *They're doing it with a dog!* » (Ils le font avec un chien!)

À nouveau, le Texan, qui croulait sous son chapeau dix gallons, esquissa un sourire rêveur. Vite réprimé par sa femme.

Francesco pour sa part était ravi. Il prit quelques secondes pour digérer son enchantement. Juliette n'était pas une femme. Comme il l'avait douloureusement cru.

Mais une petite chienne.

Il lui fallait aller de l'avant avec son plan.

Mais le serveur arriva avec le Veuve Clicquot qui coûtait les yeux de la tête. Et que Francesco approuva.

Le garçon fit sauter le bouchon.

Gabrielle, après avoir bu d'un seul trait la deuxième flûte, crut bon d'expliquer sa précipitation en désignant d'un geste sa tenue de religieuse:

— C'est chaud, cet accoutrement. Ça donne soif.

— Évidemment, ma sœur, approuva le serveur.

Francesco porta la main à la poche droite de sa veste noire, eut une ultime hésitation, se rappela pourtant la prédiction de la jeune coiffeuse: *tu croiras que le gant qu'elle te tend ne convient pas à ta main.*

Et il croyait aux prédictions.

Alors il devait aller de l'avant.

Il tira enfin de sa poche l'objet qui déciderait de son destin.

Peut-être.

52

Cet objet qui déciderait — peut-être — de son destin, il le tenait d'une main tremblante.

Et il le posa sur la table, devant Gabrielle.

C'était un petit écrin de velours bleu nuit.

La Texane, à la table d'à côté, le vit, et cela la plongea dans un abîme de doute.

Avoir un *pimp*, faire l'amour avec un chien, quand on était une religieuse, ça dépassait déjà les bornes de l'entendement.

Mais qu'un homme fût assez cinglé pour offrir ce qui ressemblait bien à…

Elle lança une œillade vers la table voisine, pour que son mari se rendît compte. Docile, il jeta un regard distrait vers Gabrielle et Francesco : ça ne parlait pas de *pimp* ou de chienne, alors ce petit écrin inoffensif, sur la table, ne provoqua chez lui qu'un haussement d'épaules.

Gabrielle dit :

— Ah ! c'est joli, vraiment joli.

Mais contre toute attente, elle ne manifesta pas la moindre curiosité de l'ouvrir.

Elle se contenta d'en flatter le velours, comme s'il s'agissait de la tête d'un petit animal de compagnie.

Comme si c'était simplement ça, le cadeau.

— Mais tu ne l'ouvres pas ? s'impatienta Francesco.

— Ah! il faut l'ouvrir? s'étonna Gabrielle.

Et une fois de plus, Francesco n'aurait su dire si elle était sérieuse ou si elle lui tirait la pipe.

Elle n'eut pas le temps de s'exécuter.

Le serveur, qui leur avait apporté les menus un peu plus tôt, revenait à leur table:

— Vous avez fait votre choix?

— Euh… oui, moi, je vais prendre des hot dogs, dit de but en blanc Gabrielle.

— Des hot dogs, ma sœur? sourcilla le serveur avec une surprise certaine.

— Oui, *all dressed*, précisa-t-elle avec un grand sourire.

Et, se tournant vers Francesco, elle ajouta:

— J'en ai mangé l'autre soir avec Jonathan au Montreal Pool Room. C'est vraiment bon.

— Je n'en doute pas… balbutia Francesco.

— Nous n'en avons pas au menu, ma sœur, expliqua le serveur, mais je suis sûr que, moyennant un léger supplément, je pourrais envoyer notre chauffeur en chercher.

— Ah! fit Gabrielle, qui tira aussitôt un billet de cent dollars de sa poche et le remit au serveur.

— Les hot dogs seront ici dans vingt minutes! répliqua-t-il.

— Avec des frites? demanda Gabrielle.

— Je suis sûr que, moyennant un léger supplément…

Le serveur n'eut pas le temps de compléter son petit boniment que déjà Gabrielle allongeait nonchalamment un autre billet de cent.

— Je vous en apporte à vous aussi? demanda le serveur à Francesco.

— Oui…

La voisine américaine, ayant assisté à toute la scène et ayant vu les billets de cent, se convainquait aisément que cette femme était tout sauf une vraie religieuse.

Francesco prit quelques secondes pour se ressaisir.

Il demanda enfin :

— Alors, ton cadeau…

Elle ouvrit enfin l'écrin, aperçut la bague, parut enchantée, mais demeura silencieuse. Comme son silence persistait, Francesco n'eut d'autre choix que de lui demander :

— Alors qu'est-ce que tu dis ?

— Euh… elle est jolie.

— Jolie ? Juste jolie ?

Elle la prit, l'examina, convint :

— *Très* jolie.

— Tu ne dis rien d'autre ?

— Euh… tu n'étais pas obligé.

Évidemment qu'il n'était pas obligé. Mais ce n'était pas ce qu'il avait envie d'entendre.

Un peu débiné, il pensa que c'était peut-être un signe que… que son projet de demander ainsi sa main, après quelques jours à peine, n'était peut-être pas une bonne idée.

Pour éviter le mariage forcé avec Angela, il devrait trouver autre chose.

Et pourtant, renoncer ainsi, si rapidement…

Elle attendait possiblement qu'il lui demande carrément sa main.

— Alors, tu dis oui ou non ?

— Qu'est-ce que tu préfères ? dit-elle.

Il n'en revenait pas. Il était évident qu'elle ne savait pas où il voulait en venir.

— Tu essayes la bague ? fit-il pour se donner une contenance.

Elle l'enfila à son majeur, au lieu de la glisser à son annulaire. Francesco plissa les lèvres. Revint à la charge.

— Je sais que c'est un peu fou, comme ça, mais pourquoi on ne partirait pas pour Las Vegas ?

— Oh, je sais pas si je pourrais.

— Pourquoi ?

— Ben, à cause de mon patron. Je suis nouvelle au salon, je sais pas si je peux prendre autant de congés, surtout que j'ai pas le diplôme.

— Ah ! je… je vois.

— De toute manière, on irait faire quoi à Las Vegas ?

— Ben, se marier dans une petite chapelle.

— Se marier, pourquoi ?

— Je sais, je te l'ai dit, c'est fou comme idée, c'est juste que depuis que je te connais, je pense tout le temps à toi, je ne devrais pas te dire ça, mais je trouve que tu es la femme idéale.

Il éprouva un malaise en disant ça. Non pas que ce ne fût pas la vérité.

Mais ce n'était pas toute la vérité.

Il y avait la curieuse histoire d'Angela, qui ne serait certainement pas très flatteuse, et en tout cas pas très romantique, s'il la révélait à la jeune femme.

— Merci.

C'était court comme réaction. Et pas très prometteur.

Il se força à sourire. Il se sentait de plus en plus ridicule, là. En plus, il avait stupidement flambé plusieurs centaines de dollars pour une bague que Gabrielle avait simplement trouvée jolie. Très jolie, mais qui ne lui avait pas arraché les hauts cris.

Ne devait-il pas se rendre à l'évidence ?

Il perdait son temps…

Il eut envie de dire, avant même l'arrivée des hot dogs, *all dressed* ou pas ! « On y va tout de suite » ou « On se texte et on lunche », c'est-à-dire, en langage moderne, on ne se revoit plus jamais.

Pourtant à nouveau, mystérieusement, comme si cela l'obsédait, il pensa à la prédiction : tu croiras que le gant qu'elle te tend ne convient pas à ta main…

Mais peut-être, justement, cette femme ne lui convenait-elle pas. Il était en train de faire un fou de lui.

Même si Gabrielle était un véritable ange...

Les hot dogs arrivèrent.

Ils se régalèrent devant les yeux contrariés des voisins américains, qui auraient sans doute préféré ce simple plat aux mets compliqués — et chers! — qu'ils s'étaient résignés à choisir dans le menu...

S'ils avaient su ce qu'il en avait coûté à Gabrielle!

Qui, visiblement sans connaître la valeur de l'argent, avait commandé une deuxième bouteille de champagne et affichait des joues de plus en plus roses, des yeux de plus en plus brillants, un sourire de plus en plus enchanté.

Sur une petite piste qu'égayaient cinq musiciens, des dîneurs avaient commencé à danser.

— On danse? suggéra Gabrielle, tout allumée par leur vue.

Quelle drôle d'idée! pensa Francesco.

Gabrielle n'était peut-être pas une religieuse, mais... elle était vêtue comme une religieuse!

Ça ferait jaser les gens autour d'eux de voir une sœur qui dansait.

Une sœur qui en plus était un peu ivre.

— Euh... je ne sais pas, hésita-t-il. Tu... tu danses souvent?

— Je n'ai jamais dansé de ma vie, mais tu me montreras. Ça n'a pas l'air plus difficile que les quilles.

Et sans attendre sa réponse, elle se leva, un peu rapidement, si bien qu'elle éprouva un étourdissement bref qui la fit se tourner vers Francesco, un sourire embarrassé aux lèvres.

Il se hâta de la soutenir et l'escorta vers la piste de danse, sous les regards ahuris des autres dîneurs, du personnel et aussi des membres de l'orchestre.

53

Italien, Francesco avait la danse dans le sang.

De plus, il était un bon professeur.

Et Gabrielle était une bonne élève, comme aux quilles, comme en toute chose, du reste.

D'abord l'orchestre leur infligea un cha-cha-cha.

Gabrielle fit quelques faux pas, faillit trébucher, rit de sa gaucherie. Mais, sous la gouverne de Francesco, elle apprenait vite.

Et lui, commençait à oublier les regards des autres danseurs, des autres dîneurs.

Il les oublia complètement quand il se mit à danser le rock and roll avec Gabrielle, qui y prit goût rapidement.

Évidemment, le rock and roll, c'est plus sportif.

Avec les pirouettes, les culbutes.

Dans sa tunique de sœur, Gabrielle, qui s'amusait comme une adolescente, qui riait comme une folle, ne tarda pas à avoir chaud.

À la fin du deuxième rock and roll, vraiment endiablé, Gabrielle profita de la brève pause avant le morceau suivant pour dire, tout en sueur :

— Là, j'ai vraiment chaud.

Et, dans un geste tout aussi romantique qu'étonnant, elle retira son voile, libérant sa magnifique chevelure blonde.

Elle fit preuve de plus d'audace encore en se servant de son voile, qu'elle avait jeté derrière la tête de Francesco, pour l'attirer vers lui.

Le Texan eut un émoi. Visible. Sa femme lui donna un coup de pied sous la table pour le ramener à l'ordre.

Il esquissa un sourire coupable.

Personne ne donna de coup de pied à Francesco. Malgré son émoi.

Même si Gabrielle ne s'était pas montrée très emballée par sa demande en mariage, elle était... comment dire...

Plutôt réceptive et même provocante sur la piste de danse, surtout avec ce geste inattendu.

Et qui le troublait.

On l'aurait été à moins...

En plus, elle soutenait son regard.

Et ne le repoussa pas lorsque l'orchestre, qui semblait prendre plaisir à ce spectacle surprenant, voulut voir jusqu'où cette religieuse pousserait l'audace et entama un *slow*.

Gabrielle ne connaissait pas.

Mais elle ne repoussa pas Francesco, qui un instant se demanda si, oui ou non, il devait embrasser Gabrielle après pareille proposition tacite.

Mais le boulanger ému se garda une petite gêne, comme on dit.

Il serra Gabrielle dans ses bras pour danser un *plain*, banal et pourtant scandaleux aux yeux de tous les spectateurs.

Surtout de ceux du Texan, dont la mâchoire tomba, révélant sa langue étonnée et stupide.

Ce que voyant, sa femme, qui en avait marre à la fin, se leva, lui arracha son chapeau dix gallons, le jeta au sol, et quitta la salle à manger sans attendre ses commentaires.

Ou ses excuses.

À la fin du *slow*, Francesco eut à nouveau envie d'embrasser Gabrielle.

Elle le regardait, troublée, la prunelle fixe, prête à tout. À laisser sa vie basculer en tout cas.

À la place, il lui demanda, presque en transe :

— On loue une chambre ?

54

— Oui, se contenta-t-elle de dire succinctement: mais quelle meilleure réponse pouvait-il exiger d'elle?

Il précisa alors:

— Il vaut mieux que je la loue seul. Attends-moi ici.

Il parlait du hall.

Elle ne protesta pas.

Sans doute ne comprenait-elle même pas cette exigence.

Pas plus qu'elle ne comprit son désir de monter séparément à la chambre, dont il lui confia le numéro: 544.

La chambre la moins chère, qui lui avait quand même coûté deux cent soixante-quinze dollars.

Il avait ravalé sa salive, mais souri avec une feinte nonchalance lorsqu'on lui avait demandé sa carte de crédit, déjà encombrée et rendue nerveuse par le repas doublement arrosé de champagne qui lui avait coûté plus de cinq cents balles, et encore, c'est Gabrielle qui avait payé (*cash*) pour les glorieux hot dogs *all dressed* commodément importés du Montreal Pool Room!

— Comme tu veux... dit Gabrielle.

Francesco, ému par tant de prometteuse docilité, se retint de l'embrasser illico devant les clients qui entraient et sortaient de l'hôtel.

Il se hâta plutôt fébrilement vers l'ascenseur.

Envoya à Gabrielle un dernier sourire avant que les portes ne se referment.

À peine trois minutes plus tard, on frappait à la porte de la chambre 544.

Anxieux, Francesco ouvrit.

Un garçon lui livrait une rose.

De la part de Gabrielle.

Qui avait changé d'idée.

55

À la dernière seconde, juste devant la porte de la chambre 544, Gabrielle s'était figée. Et avait renoncé à cette première nuit avec le beau Francesco.

Tout se passait trop vite.

Et l'amour, elle ne connaissait pas, encore moins dans sa dimension physique: alors elle tremblait. Un peu trop. Un peu trop pour frapper à la porte. Se jeter dans les bras de Francesco. Se déshabiller. S'offrir à lui. Devenir sa femme. Même si, elle le sentait, elle était déjà sa fiancée.

Pour toujours.

Aussi avait-elle décidé de rentrer sagement au *tourist room*, en dépit de son sentiment de décevoir infiniment le romantique boulanger avec qui elle avait passé une soirée divine...

Et maintenant, elle récitait sa prière quotidienne, agenouillée à son prie-Dieu, en pyjama, avec Juliette sagement assise à ses côtés.

— Mère, je sais que, dans la prière idéale, il ne faut jamais rien demander pour soi. Car demander quelque chose pour soi, c'est ignorer que vous veillez constamment sur nous, que rien de ce que l'on fait, dit, pense ne vous échappe. Et que vous nous donnez toujours ce dont nous avons besoin. Au moment précis où nous en avons besoin. Pas une seconde avant. Pas une seconde après. Et vous ne nous envoyez jamais une épreuve sans nous donner la force de l'affronter. Mais là, il me semble que je suis dépassée. Francesco m'a donné une bague. Au début, je croyais que c'était juste un écrin, il était en velours et tout et tout, c'est très doux, comme un animal, mais dedans, il y a la bague. Quand un homme vous la donne, c'est une demande en mariage en bonne et due forme, censément parce qu'il vous aime d'amour fou. Toutes les femmes attendent juste ça, apparemment. C'est parce que ça conduit au mariage qui en principe est pour la vie. En tout cas, Josette est formelle là-dessus. Je lui ai tout raconté au téléphone en revenant en tremblant du Ritz. Mon problème, et c'est pour ça que je demande vos lumières, c'est que Francesco veut qu'on se marie. Mais moi, je me demande : est-ce que c'est bien ma mission ? L'ange avait dit que ma mission était de couper les cheveux et de devenir la coiffeuse de Dieu. Me marier, est-ce que ça fait partie de ma définition de tâches, selon vous, Mère ? Définition de tâches, c'est une expression un peu savante que mon patron Carlo m'a apprise quand il m'a donné mon poste, même si j'ai pas le diplôme. Je me pose et vous pose la question parce que lorsque j'ai quitté le couvent au volant de la Jaguar, il n'était pas question de mariage et de grand amour, mais je vous avoue que le grand amour, ça me fait drôle, ça me fait réfléchir, parce qu'en plus Francesco, quand je danse avec lui, je… Enfin vous savez ce que je veux dire… Quand j'ai quitté le couvent, l'ange qui m'a envoyée ici n'a pas parlé de ça. Ni sœur Thérèse.

Elle se frappa le front tout à coup en réalisant que, n'ayant toujours pas retrouvé le numéro de téléphone du couvent, elle ne lui avait pas encore téléphoné.

Juliette la regarda avec un drôle d'air, une sorte d'inquiétude : pourquoi sa maîtresse se frappait-elle ainsi ?

D'ailleurs, elle eut une autre occasion de sourciller lorsque Gabrielle se frappa à nouveau le front, encore plus fort cette fois-ci : elle venait de se rappeler où elle avait rangé le numéro de téléphone du couvent. Peut-être. Elle se leva d'un bond et le retrouva effectivement dans la poche du pantalon qu'elle portait à sa sortie. Elle regarda vers le ciel, sourit et dit :

— Merci.

Elle ne doutait pas que ce fût Mère qui eût répondu à cette prière. Pour l'autre prière, au sujet de Francesco, il lui faudrait sûrement attendre.

Confiante en la sollicitude infinie de la Vierge Marie qui jamais ne l'avait déçue, elle se coucha et dormit à poings fermés.

Son premier soin, le matin, fut de s'acheter un cellulaire, un joli iPhone. Elle était totalement néophyte en la matière, et pourtant, après quelques minutes à peine, elle avait tout compris ou presque. Et elle téléphonait à sœur Thérèse. À qui il fallut au moins trente secondes pour répondre à la question pourtant banale : « Comment allez-vous ? »

Elle pleurait à l'autre bout du fil, trop émue d'entendre enfin la voix de Gabrielle, après tant de jours de silence.

Cette dernière lui raconta sa « somptueuse » installation dans un *tourist room*, sa rencontre avec Jonathan, dont l'amant était dans le coma, et lui recherché, son embauche au salon Michel Ange.

Pour Francesco, au dernier moment, elle eut une hésitation, car elle craignait de trop inquiéter petite mère.

56

— Pour être belle, elle est belle! fit Josette qui contemplait depuis quelques secondes la bague dont Gabrielle lui avait parlé au téléphone la veille.

— Merci.

— Il t'a donné ça sans que vous ayez couché ensemble?

C'est ce dont Gabrielle lui avait donné la formelle assurance, la veille, au téléphone, mais en voyant la bague, Josette éprouvait un doute légitime.

— Oui, je te l'ai dit, réitéra Gabrielle. J'ai paniqué au dernier moment.

Josette parut réfléchir un moment:

— Il a eu un coup de foudre. Je ne vois pas d'autre explication.

— Je ne sais pas s'il a eu un coup de foudre. Mais il m'a expliqué qu'aimer, c'est se réjouir.

— Aimer, c'est se réjouir… répéta pensivement Josette, et même avec un brin de scepticisme. Ah! bon…

— C'est la théorie d'Aristote. Ou de Platon. Je suis plus trop sûre.

— Je les connais pas. C'est des clients de la boulangerie?

— Euh… il a pas précisé, je pourrais pas te dire. Mais je sais juste que je me réjouis quand je le vois. En plus, son eau de toilette, ça me met tout à l'envers. Si tu savais comme ça sent bon. D'ailleurs tu vas pouvoir le savoir, si tu veux, j'ai pas pu résister à la tentation de m'en acheter une bouteille.

Elle tira d'un petit sac un flacon d'*Acqua di Giò* d'Armani, en ouvrit le bouchon et présenta la fragrance au nez aussi curieux que complaisant de Josette. Qui huma l'eau de toilette, les yeux fermés, et bientôt un sourire ravi aux lèvres.

— Oui, c'est lui! C'est le beau Francesco. Je pense que tu devrais dire oui.

— Dire oui à quoi?

— Ben, au mariage.

— Mais il veut qu'on parte tout de suite pour Vegas.

— Il veut en plus que vous partiez pour Vegas?

— Oui, il paraît qu'il y a plein de petites chapelles où on peut se marier.

— Ah! il est tellement romantique. Et en plus tu as vu ses mains.

— Euh… oui, mais après?

— Laisse. Je me comprends, et tu vas me comprendre quand vous serez devenus mari et femme, conclut Josette, en beauté ce matin-là : ses cheveux roux avaient plus d'éclat, ses yeux bleus pétillaient, va savoir pourquoi.

Il n'était pas encore dix heures, c'était leur petite causerie matinale, au salon, dont les portes allaient ouvrir d'une minute à l'autre.

Depuis le comptoir de la réception, Carlo, qui avait les traits un peu tirés, sirotait son quatrième café pour se requinquer, car il n'avait pas fermé l'œil de la nuit, soucis financiers et amoureux aidant. Et il regardait les deux femmes. Il regardait surtout Josette, avec un air différent. Comme s'il se demandait…

S'il ne devait pas…

S'il n'allait pas…

La perdre?

Mais il était pris. «Pris», le mot avait tout son sens avec Carlo, car il se sentait un peu comme dans une bien ironique prison même s'il ne vivait pas avec Alexandra.

Qui se frappa d'ailleurs le nez contre la porte encore fermée du salon. Carlo parut surpris de la voir et alla tout de suite lui ouvrir.

En la voyant, Josette ne put réprimer un véritable cri du cœur :

— Encore elle ! Qu'est-ce qu'elle vient faire ici à dix heures du mat ?

Alexandra semblait pressée, comme d'habitude.

— On a la frite, ce matin ! ironisa Josette.

Alexandra, décidément d'humeur belliqueuse, lui montra le doigt.

— Comme à un policier ! fit Gabrielle, qui devenait de plus en plus confuse au sujet de la manière de saluer un policier. Surtout quand le policier n'en était pas un, mais une ravissante jeune femme. Avec un agenda qu'elle ne tarda pas à révéler à Carlo.

— Je me suis fait voler les cinq cents dollars que tu m'as donnés.

— Hein ?

— Oui, dans un bar.

— Dans un bar ? Tu es sortie dans un bar hier soir ? Je pensais que tu voyais ta meilleure amie, Sophie.

— Oui, mais elle est en dépression. À cause de son chum. Un trouduc qui ne lui achète jamais rien. Alors on est allées dans un bar.

Il ne la croyait pas, visiblement, pour les cinq cents dollars. Elle voulait juste lui en soutirer cinq cents de plus.

— Je ne les ai pas, admit platement Carlo.

— Mais il me les faut absolument ! En plus, ma carte de crédit est *maxée*. J'ai même pas pu acheter de cigarettes ce matin. Si tu savais comme c'est humiliant.

— J'ai vu mon comptable, il y a quelques jours…

— C'est ton comptable qui compte ou moi ? fit-elle en un jeu de mots involontaire.

— Viens, on va aller en parler dans mon bureau, proposa-t-il.

— Non, j'ai pas le temps. Tu as les cinq cents dollars ou non ?

— Non.

Il avait dit ça un peu sèchement, presque avec de la provocation dans la voix. Elle explosa. Il faut dire que ça ne lui en prenait pas beaucoup. Elle était *borderline*. Et elle avait oublié de prendre son médicament, ce matin. Un peu à dessein, faut-il préciser : ses excès de rage avaient toujours été payants avec Carlo. Jusque-là. Car il préférait acheter la paix, même à fort prix.

— Là, ça ne marchera pas, menaça-t-elle, et elle n'avait jamais eu l'air aussi sérieux. C'est l'argent ou les adieux. Parce que moi, j'en ai assez.

— Assez ?

— Oui, de faire des compromis.

— Toi, tu fais des compromis dans notre couple ?

— Oui. Je voudrais faire l'amour deux fois par jour, on le fait juste deux fois par semaine, et encore, seulement quand monsieur est pas trop stressé par son petit salon de coiffure de merde avec même pas la moitié des chaises qui roulent. C'est quand même pas Microsoft ou la Maison-Blanche que tu *manages*, mon coco.

— S'il te plaît, Alexandra…

— Tu m'avais promis une auto, une Camaro, j'avais même choisi la couleur comme une conne qui rêve en couleurs, et je voyage encore en métro. Tu m'as emmenée une fois au Ritz, avant que je me déshabille pour toi, maintenant tu trouves même que le Saint-Hubert est trop cher. Et là, après toutes ces économies que tu fais sur mon dos, tu n'es même pas capable de m'allonger cinq cents malheureux dollars pour me prouver que tu m'aimes !

— Je viens de t'en donner cinq cents !

— Je me suis fait voler, tu es sourd ou quoi ? Remarque, avec l'âge, ce serait pas étonnant.

— Si tu permets, je…

— Non, je ne permets pas ! Je n'ai pas les moyens ! Là, il faut que tu me le dises : tu me donnes l'argent ou pas ? Parce que tant qu'à aimer un vieux qui est pauvre, j'aime autant aimer un pauvre qui est jeune et qui me baise toutes les nuits! Alors, tu as les sous ou non?

— Non.

— Alors, va te faire foutre, vieux croûton!

Et elle sortit en coup de vent.

— Toujours un plaisir! triompha Josette.

Carlo avait l'air d'un idiot. Josette, elle, espérait que ce serait sa dernière dispute avec Alexandra. Pas dans le sens que celle-ci deviendrait soudain aimable et conciliante. Mais dans le sens qu'elle tirerait une fois pour toutes sa révérence. Et alors Carlo, peut-être (elle croisait les doigts en priant tous les saints du Ciel!), s'intéresserait enfin à elle.

À moins bien entendu qu'il ne remette ça avec une autre jeunesse, comme il semblait en avoir la déplorable habitude.

Comprendrait-il un jour que cela ne le menait à rien, trois fois rien, de s'étourdir ainsi? Et que la femme de sa vie, oui, la femme de sa vie, ça lui mettait les larmes aux yeux juste d'y penser, c'était elle?

Qui était devant lui.

Patiente comme Pénélope qui tissait, défaisait et retissait sa toile en attendant son Ulysse et en éloignant ses inutiles prétendants.

Ulysse parti on ne savait où. Chacun son odyssée, qui semble glorieuse, comme ça, mais qui après un examen plus approfondi, se révèle piteuse. Aux yeux, peut-être les seuls vraiment sages, d'une femme qui vous aime. Et qui a sans doute raison, car vous avez gagné quoi, à la fin?

Josette voulut s'ouvrir de sa rumination amoureuse à Gabrielle, mais Armande Villefranche entrait aussi vite qu'Alexandra était sortie et se ruait littéralement vers la coiffeuse néophyte pour expliquer dans un état de grande excitation:

— J'ai fait ce que vous m'avez demandé de faire!

57

— J'ai pas parlé contre personne pendant trois jours ! poursuivit-elle.

— Bravo ! s'exclama Gabrielle, qui lui avait passé le drap de barbier dès que l'autre avait pris place sur la chaise.

— Sauf une fois, admit madame Villefranche. Mais j'ai des circonstances atténuantes : c'était contre ma belle-sœur.

— Je lui coupe les cheveux, intervint Josette, c'est vrai qu'elle est pas reposante.

— En tout cas, ma petite fille ne va pas mieux. Elle a encore la leucémie.

Et, ce disant, elle se mit à pleurer.

Josette et Gabrielle se serrèrent spontanément contre elle pour la consoler de ce drame. Le plus grand du monde sans doute. Un enfant qui est malade. Et qui va mourir. Peut-être. Parce que la leucémie, c'est plus imprévisible que l'amour. Et souvent bien plus mortel.

— Alors dites oui, dites oui, dites oui, je vous en supplie !

C'était charmant comment elle avait dit ça. Et elle avait uni ses deux mains comme pour une prière. Du reste, c'en était une, sans doute la plus importante de sa vie, car c'était pour sauver sa fille, qui était toute sa vie.

— Vous me demandez quoi au juste ?

— Guérissez ma fille !

Gabrielle se tourna vers Josette, comme pour quémander son avis. Josette se contenta de sourire avec compassion : la cliente faisait pitié. Que perdait Gabrielle à essayer de guérir sa petite fille ?

Carlo revenait de son bureau, où il n'avait pas voulu rester trop longtemps pour que ses employés ne croient pas que ça lui faisait vraiment quelque chose d'avoir été plaqué.

— Vous voulez que j'aille la voir quand, votre fille ? demanda la petite coiffeuse.

— Tout de suite !

— Tout de suite ?

— Oui.

— Ben là, je ne sais pas. Je travaille, mais je... je peux toujours demander à mon patron.

Carlo dit oui spontanément.

Même si la jeune femme raterait peut-être des clientes venues expressément pour elle, car elle avait déjà une réputation.

Surtout pour ses prédictions.

Carlo voulait aussi se montrer *cool*.

Surtout après l'avanie infligée par Alexandra.

Il espérait prouver qu'il s'en moquait comme de sa première chemise.

Armande Villefranche se leva de la chaise, sauta de joie, serra Gabrielle dans ses bras.

Au même moment, Jonathan arrivait, avec sa nouvelle coupe à laquelle il ne s'habituait pas, cette houppe à la Tintin qui avait l'air de n'importe quoi, le matin, et surtout ses cheveux noirs, lui qui s'était toujours enorgueilli d'être blond.

Il avait l'air visiblement catastrophé.

58

— Est-ce que je peux te parler ? demanda Jonathan à Gabrielle.

— Euh... là, non, je...

Elle regarda vers sa cliente.

— Appelle-moi durant mon heure de lunch. Je me suis acheté un iPhone, annonça Gabrielle avec une fierté incommensurable.

Elle avait posé l'appareil sur le comptoir, juste à côté de la statue de la Vierge. Elle le montra du doigt.

— Il faut que je te parle tout de suite, objecta Jonathan.

Madame Villefranche se tourna vers Gabrielle avec angoisse, comme si cette nouvelle demande compromettait tout.

— Je viens de promettre d'aller avec madame Villefranche à l'hôpital. Tu veux venir avec nous ?

— D'accord.

Vingt minutes plus tard, Gabrielle, Jonathan et madame Villefranche entraient dans la chambre numéro 369, à l'hôpital Sainte-Justine.

Quand elle vit sa mère, Amélie referma tout de suite son livre, et son visage s'illumina.

— Mamashika ! Tu es là ! cria-t-elle, car c'était le diminutif dont elle l'avait affublée, et c'était bien sûr un cri du cœur.

Mamashika...

En entendant ce mot, madame Villefranche dut retenir ses larmes, parce que ses larmes auraient été un aveu que sa fille, fine mouche, aurait lu.

Cela aurait dit que la leucémie, c'était pas juste de petites billes blanches, trop abondantes, égarées dans son sang, et qui faisaient une partie, comme elle le lui avait expliqué gentiment.

C'était aussi un poison mortel.

Que, comme dans les contes de fées, les sorcières donnent à leurs ennemis. Et même aux petites filles.

Seulement, là, c'était dans la vraie vie...

— Amélie, je te présente Gabrielle. C'est une grande coiffeuse qui a guéri maman de ses maux de tête.

— Ah! Est-ce que vous faites de la magie comme Harry Potter?

— Euh... je...

Gabrielle ne connaissait évidemment pas le célèbre magicien Harry Potter. Elle haussa les épaules, se tourna vers madame Villefranche, non sans un certain embarras.

— Elle a pas de baguette magique, mais elle a un peigne magique, tenta la maman avec un air entendu.

— Oh! fit la petite fille, tout excitée. Est-ce que je peux le voir?

— Bien sûr... acquiesça Gabrielle, cependant que Jonathan hochait la tête en se demandant dans quelle histoire son amie venait de s'embarquer!

Elle sortit son peigne de sa trousse de coiffure et le tendit à Amélie, qui parut déçue. Il n'avait rien de spécial. Et en tout cas il ressemblait à tout sauf à une baguette magique comme celle de Harry Potter.

— C'est le seul peigne magique que vous avez?

— Euh... oui...

Pour faire diversion, madame Villefranche dit, se tournant vers Jonathan:

— Et je te présente...

Dans son énervement, elle ne se souvenait plus de son nom.

— Jonathan, s'empressa de dire Gabrielle pour venir à sa rescousse.

— Est-ce que tu es gai? lui demanda Amélie contre toute attente.

Ça prit tout le monde par surprise, cette question. Généralement, Jonathan niait. Mais là, ça l'amusait. En plus, c'était demandé si gentiment.

— Oui, comment as-tu deviné?

— Ben, ça se voit. En plus tu te teins les cheveux.

Jonathan regarda Gabrielle en affectant de lui adresser un reproche, comme si elle n'avait pas si bien accompli son travail puisque sa teinture était visible. Gabrielle plissa les lèvres: elle était désolée.

Le iPhone d'Amélie vibra sur la table de nuit. Elle répondit:

— Je peux pas te parler. Je suis avec ma mère, une coiffeuse magicienne et son ami gai. Je te rappelle quand ils seront partis. *Ciao*, beauté rare!

Elle raccrocha, posa son iPhone sur la table de nuit et expliqua, d'une voix blanche comme son teint, hélas:

— Mon ami Enrico. Dépendant affectif fini.

Elle leva les yeux au plafond, comme si elle était découragée.

— Gabrielle va te couper les cheveux, maintenant, Amélie, dit sa mère, et peut-être que ça va t'aider à enlever les petites billes blanches dans ton sang.

— Je vais faire mon possible, dit Gabrielle.

— Ça m'étonnerait que ça donne quelque chose. C'est le cancer du sang que j'ai. Les adultes appellent ça la leucémie, parce que ça fait peur aux enfants, le mot cancer. Et aux adultes aussi. Ils croient que leur vie est finie. Moi, ce que j'ai, c'est une forme aiguë de leucémie lymphoblastique.

Lymphoblastique!

Exactement le mot, aussi terrible que compliqué, que le médecin avait employé lorsque son diagnostic était tombé!

Madame Villefranche bafouilla, étonnée par la lucidité savante de sa fille de neuf ans.

— Mais tu… tu as pris ça où, ce mot, Amélie?

— Ben, maman, je l'ai *googlé.*

Elle regardait son iPhone.

— Évidemment, fit la maman, qui une fois de plus était renversée par la précocité de sa fille, et par l'invasion de la nouvelle technologie dans sa génération.

La petite fille pâlit tout à coup. Comme si la joie de voir sa mère, les présentations, la brève conversation avec son ami dépendant affectif fini lui avaient volé toute son énergie.

— Tu vas bien, ma chérie? s'inquiéta sa mère.

— Oui. En fait non.

— Tu veux quelque chose? de l'eau?

— Non, je… je veux juste me reposer. Si Enrico appelle, dis-lui… dis-lui que je vais lui texter son mot d'amour préféré. Mais pas tout de suite. Parce que là, on dirait que je n'ai plus de forces, que je…

— Mais Gabrielle va quand même te couper un peu les cheveux. Ça ne sera pas long. N'est-ce pas, Gabrielle?

— Non, non…

Elle avait oublié son drap de barbier. Elle demanda à Jonathan:

— Tu vas me chercher une serviette dans la salle de bain?

— Bien sûr…

Mais elle n'eut même pas le temps de la passer à la fillette, parce que, comme elle avait commencé tout doucement à démêler ses beaux cheveux roux, elle s'interrompit aussitôt, ses yeux se voilèrent, et elle eut une inspiration. Elle se mit à parler de la sorte:

— Mère t'aime. Elle t'aime même tellement qu'elle remplit d'amour l'espace que la maladie occupait dans ton corps. Maintenant ton corps entier est plein d'amour. Et je ne vois que la Lumière.

Gabrielle se tut. Et elle sentait qu'il ne serait pas nécessaire d'en faire plus, pas nécessaire de couper les cheveux de la petite malade.

Qui souriait, devant les yeux émerveillés de sa mère ; et son teint, de blafard qu'il était, tout à coup était devenu rose.

Magiquement revigorée, Amélie reprit son iPhone, composa un numéro.

— Enrico, c'est moi. T'as plus à t'en faire. Je suis sûre que je vais avoir mon congé cette semaine.

Que ce fût vrai ou pas, mais bien sûr elle aimait croire que oui, sa mère se mit à pleurer de joie.

Elle serra Gabrielle dans ses bras.

Jonathan, lui, était presque en transe : il ne pouvait plus attendre une seconde avant de parler à la jeune coiffeuse surdouée.

59

Ça n'avait pas été le plus grand triomphe de Francesco, la veille, au Ritz.

Mais il n'en voulait pas à Gabrielle.

Il n'avait pas su jouer ses cartes.

C'était ridicule, et bien trop précipité, cette bague, cette proposition de mariage, cette idée de voyage à Las Vegas.

Et la chambre…

La chambre à deux cent soixante-quinze dollars, où elle n'était même pas allée le rejoindre.

Et où il avait préféré ne pas rester dormir seul. Trop déprimé à cette idée.

Il n'avait pas beaucoup de temps devant lui, vu le curieux ultimatum de son père.

Ou plutôt celui de la banque.

Ou d'Angela.

Tout se confondait dans son esprit.

Pas assez, pourtant, pour qu'il ne se postât pas, un peu avant dix-huit heures, devant chez Michel Ange, dans sa vieille BM 323 noire en parfait état même si elle avait plus de dix ans et deux cent quarante-neuf mille kilomètres. Il lui semblait qu'elle avait une âme. Aussi lui parlait-il, comme il parlait aux oiseaux, et la remerciait-il de démarrer chaque fois qu'il mettait la clé dans le

contact et qu'il entendait la merveilleuse musique de sa mécanique vieillissante.

Dix-huit heures sonnèrent à l'église Saint-Pierre, juste der-
rière le salon. Et pas de Gabrielle. Ni à dix-huit heures dix. Mais
Francesco n'était pas nerveux. Il savait qu'elle était encore chez
Michel Ange, sa Jaguar était garée juste devant.

Il la vit enfin sortir vers dix-huit heures quinze.

Il en trembla, sans vraiment savoir pourquoi.

60

L'imprévisible beauté blonde était à nouveau vêtue en religieuse.

C'était à n'y rien comprendre!

Elle était sœur ou non?

C'était vraiment bizarre à la fin.

En tout cas, elle était avec un homme que Francesco n'avait jamais vu.

Ou plutôt qu'il ne reconnaissait pas : Jonathan, avec sa nouvelle teinture, sa nouvelle coupe à la Tintin égaré au 21e siècle! Et qui était allé récupérer sa tenue de religieuse au *tourist room* un peu plus tôt.

Cela donna une émotion à Francesco, et une contrariété.

En plus, l' «inconnu» monta avec elle dans la Jaguar.

Francesco hésita un instant, mais ne résista pas à la tentation d'une filature.

Qui constitua une aventure bien moins banale que ce à quoi il s'attendait. Car Gabrielle, qui avait pris le volant, n'avait pas froid aux yeux et, sans doute par inexpérience et ignorance des rues de Montréal, tournait souvent à la dernière minute sans utiliser son clignotant. Elle prenait bien des risques et même… des sens uniques à contresens!

Et Francesco, éberlué, devait faire des prouesses — et même des infractions — pour ne pas perdre sa si précieuse trace.

Sur l'autoroute 15 Nord, la jolie coiffeuse conduisit à toute vitesse, en changeant constamment de voie, et même s'il était au volant de sa loyale BM, pas aussi cylindrée que la Jaguar, mais quand même, Francesco avait de la difficulté à suivre la cadence. Il faillit rater la sortie «Saint-Jérôme centre-ville» qu'elle emprunta à la dernière minute en franchissant de surcroît trois voies puisqu'elle roulait dans celle de gauche.

Où diable pouvait-elle aller avec tant de hâte? pensa Francesco.

Il ne tarda pas à le découvrir: à l'hôpital de Saint-Jérôme.

Le boulanger mystique sourcilla.

Mais pourquoi ne pas simplement aller dans un hôpital de Montréal?

Et pourquoi s'habiller en religieuse?

Intrigué, il vit Gabrielle et Jonathan entrer dans l'hôpital.

Après une hésitation, il préféra ne pas les suivre. Si elle le voyait, elle le reconnaîtrait trop aisément, et il aurait l'air d'un con. Il les attendrait plutôt dans le stationnement.

Ou il repartirait vers Montréal.

Et il téléphonerait à Angela.

Avec Gabrielle, c'était trop compliqué.

Et il manquerait de temps, à la fin.

Une surprise désagréable attendait le couple bancal à la porte de la chambre de Louis: un policier en uniforme montait la garde, assis sur une chaise droite.

Jonathan chaussa tout de suite ses lunettes fumées, s'immobilisa et regarda Gabrielle, inquiet.

— Merde! laissa-t-il tomber. Qu'est-ce qu'on fait?

— Le policier te reconnaîtra pas, avec ton nouveau look.

— OK, alors on y va, mais avant, promets-moi quelque chose!

— Quoi?

— De ne pas saluer le policier comme ça.

Il fit un doigt d'honneur. Un infirmier qui marchait dans leur direction le vit, arrondit les yeux, ahuri: quelle impertinence à l'endroit d'une religieuse!

— Promis! dit Gabrielle avec un sourire entendu.

Ils s'avancèrent non sans nervosité vers la chambre.

Lorsqu'ils croisèrent l'infirmier, ce dernier dévisagea Jonathan qui grommela :

— Qu'est-ce qu'il a à me regarder comme ça ?

— Je ne sais pas…

Dès qu'il aperçut Gabrielle, le policier se leva, toucha la visière de sa casquette et laissa tomber respectueusement :

— Ma sœur…

Mais il regarda aussitôt après Jonathan avec une sorte de suspicion, comme s'il le reconnaissait vaguement ou croyait l'avoir déjà vu quelque part.

Sur une photo de suspect, peut-être.

Il rétrécit les yeux, fouilla sa mémoire. Pourquoi ce jeune homme habillé un peu bizarrement pour se trouver en présence d'une religieuse portait-il des verres fumés, le soir, dans un hôpital, sinon pour…

Jonathan eut un mouvement de nervosité. Ce que voyant, Gabrielle, qui avait lu le doute dans les yeux du policier, crut bon de tenter une diversion. Elle demanda :

— Est-ce que ce pauvre Louis va mieux ?

— Il est toujours dans le coma, ma sœur !

— Bon, nous allons prier pour lui.

— Je suis sûr que ça va lui faire du bien.

— Moi aussi. Vous, mon fils, est-ce que vous priez ?

— Euh… non. Enfin, pas autant que je voudrais, ma sœur, j'ai cinq enfants, de deux femmes différentes avec qui je ne vis plus, et je…

— Vous devriez quand même prier, mon fils : on ne sait jamais quand on aura besoin de Dieu, surtout quand on exerce un métier dangereux comme le vôtre.

— C'est vrai, ma sœur, approuva-t-il, soudain nerveux.

Avec une assurance extraordinaire, Gabrielle posa sa main sur sa joue et, d'une voix sérieuse, elle ajouta :

— N'oubliez pas que Dieu vous aime, mon fils!

Le policier s'inclina respectueusement et la laissa entrer dans la chambre, suivie d'un Jonathan qui admirait sa présence d'esprit et devait se mordre les lèvres pour ne pas éclater de rire.

— Si vous permettez! ajouta Gabrielle à l'adresse du policier. Nous allons prier dans le silence.

Et elle referma la porte de la chambre devant lui.

Puis, fière de son coup, elle leva alors la main en direction de Jonathan pour lui proposer un *high five*, qu'il accepta avec un large sourire.

Qu'il perdit bien vite en apercevant son beau Louis allongé, inconscient, dans son petit lit d'hôpital, avec tout plein de tubes dans la bouche et une intraveineuse fichée dans le bras gauche.

Troublé, il s'approcha aussitôt, prit la main droite de son ami, l'embrassa plusieurs fois, avant de l'abandonner et de le regarder, ému, les lèvres plissées.

C'était un blond tout comme lui, enfin avant la teinture, et qui lui ressemblait comme s'il était son frère jumeau. Jonathan pensa: *il est pâle, si affreusement pâle, et si immobile! On dirait qu'il est mort!*

Et ça le tuait, cette pensée, cette vision.

Il se tourna vers Gabrielle, qui assistait avec émotion à ces retrouvailles qui n'en étaient pas vraiment:

— Est-ce que tu peux faire ton truc, enfin dire les mots magiques, maintenant? implora Jonathan.

— Oui, évidemment.

Elle montra du doigt la main de Louis, pour que Jonathan la lui cède. Elle la prit et, avec une mémoire parfaite — mais c'était peut-être encore Mère qui l'inspirait —, elle dit avec juste les modifications qu'il fallait:

— Mère t'aime. Elle t'aime même tellement qu'elle remplit d'amour l'espace que ton coma occupait. Maintenant ton corps entier est plein d'amour. Et je ne vois que la Lumière.

Gabrielle — ou la Vierge Marie — ne voyait peut-être que la lumière. Mais Jonathan ne voyait rien, lui. D'ailleurs, il n'y avait rien à voir, je veux dire rien d'encourageant.

Louis restait comme avant.

Immobile.

Blanc.

Jonathan regarda Gabrielle. Elle haussa les épaules, impuissante. Avec l'air de dire: *Je t'avais averti, il n'y a pas de garantie*, dans le petit plissement de ses belles lèvres naturellement rouges, car là, évidemment, elle ne s'était pas maquillée, afin de passer pour une vraie nonne.

Jonathan reprit la main de son ami, le supplia:

— Louis, si tu m'entends, remue ton petit doigt, bouge les lèvres, la tête, fais-nous un signe, quelque chose, n'importe quoi!

Peine perdue!

Jonathan embrassa une dernière fois la main de son ami et la reposa délicatement sur le lit. Il retira ses lunettes pour essuyer ses yeux, qui étaient emplis de larmes.

Dépité, il pensa que peut-être le coma, surtout s'il était profond, était pire que la leucémie même dans sa forme aiguë de lympho… il ne savait plus quoi!

Puis son regard s'éclaira:

— Attends, j'ai une idée, il paraît que les gens dans le coma peuvent entendre ce qui se passe autour d'eux.

Il avait apporté son iPod, d'ailleurs il ne s'en séparait pour ainsi dire jamais.

Il fit jouer «leur» chanson, à Louis et lui, *The Last Waltz*, chantée par «leur» chanteur, Engelbert Humperdinck, et sur laquelle ils avaient dansé tant de fois.

Il eut une réminiscence, quasi lisible dans ses beaux yeux encore humides, se revit dans les bras de son ami, en des jours meilleurs, à virevolter follement sur une piste de danse.

C'était très beau — et très romantique.

Parfois, ils participaient à des concours.

Et pour ne pas choquer — et surtout pour pouvoir participer — Louis s'habillait en femme.

Il était très beau en femme.

Et il dupait tout le monde.

Même s'il était pris dans son souvenir, au beau milieu d'un *paso doble* endiablé, un de leurs meilleurs numéros, Jonathan entendit soudain la porte de la chambre s'ouvrir.

Il se tourna vers elle, en même temps que Gabrielle.

61

Jonathan remit nerveusement ses lunettes fumées et murmura, avec un tremblement dans la voix :

— Ce sont les parents de Louis !

— Oh ! je vois, fit Gabrielle, consciente du danger de la situation.

Le père de Louis, Germain Cromp, maire de Saint-Jérôme de son état, était un homme costaud, avec un cou de taureau, des cheveux grisonnants, un air autoritaire que n'atténuait pas son costume sombre.

Sa femme, Violette, une brunette grassouillette un peu plus jeune que lui, n'avait pas trop bien vieilli. Ses yeux exprimaient une tristesse infinie : c'est que sa vie avait été une longue suite d'épreuves, et l'homosexualité de son fils, qu'elle avait devinée et acceptée depuis longtemps, n'en était pas la moindre, parce que son mari, lui, ne l'avait jamais pris.

Le couple regardait Gabrielle et Jonathan avec une curiosité toute naturelle, même si le policier à la porte les avait prévenus de la présence de visiteurs.

Que faisaient, dans la chambre de leur fils comateux, une religieuse et un jeune homme à l'air douteux, caché derrière des lunettes fumées ? Le jeune homme avait d'ailleurs quelque chose de familier dans son apparence. Pas facile de mettre le doigt dessus. C'était peut-être juste une fausse impression.

Une ride de perplexité se dessina sur le front de Violette Cromp.

Fine mouche malgré son inexpérience du monde, Gabrielle, ayant senti aussitôt le danger, s'avança vers le maire et sa femme en leur tendant la main, avec une assurance absolue :

— Sœur Gabrielle de la Providence.

Ils lui serrèrent la main, tout sourire, un peu embarrassés, aussi. Une sœur, c'était rare, en plus elle était jolie et paraissait infiniment avenante.

La jeune femme se tourna vers Jonathan :

— Mon assistant allemand, Herman. Sourd-muet de naissance.

Les parents affichèrent une mine désolée, à la fois surpris et embarrassés de se trouver en présence d'un sourd-muet. Allemand de surcroît. Comme si cela pouvait faire une différence !

Étonné par la présence d'esprit de la jeune femme, Jonathan se contenta de s'incliner respectueusement, en dissimulant un demi-sourire, et préféra ne pas tendre la main vers les parents de Louis, des fois que son tremblement le trahirait.

— Vous êtes ? continua Gabrielle sans que son aplomb étonnant l'abandonne.

— Les parents de Louis, fit la mère.

Et elle s'avança vers son fils, tout en paraissant bouleversée de le voir dans cet état. Et encore plus lorsque, contre toute attente, il ouvrit les yeux.

— Germain ! Regarde ! Louis est sorti de son coma !

— Hein ? demanda le maire, ayant peine à dissimuler son désarroi, car pour lui c'était tout sauf une bonne nouvelle.

Jonathan fut partagé entre l'envie de se précipiter pour embrasser Louis et celle de sortir.

Mais la deuxième solution était plus prudente.

Il tira Gabrielle par le bras, et ils échangèrent un regard qui disait tout.

Ils sortirent tous deux pendant que le maire s'approchait de son fils.

En apercevant son père, Louis sembla absolument terrorisé, comme s'il était en présence d'un tueur à gages chargé de l'éliminer.

62

Lorsque Francesco vit sortir Gabrielle et Jonathan de l'hôpital, même pas une demi-heure après leur arrivée, il laissa tomber, intrigué :

— Mon Dieu, ça ne leur a pas pris de temps !

Pour faire quoi ?

Il n'en avait aucune idée.

Jonathan sautait dans les airs, visiblement fou de joie ! Puis il échangea avec la blonde coiffeuse un *high five* glorieux.

— Comme ça, plaisanta-t-il, je suis sourd-muet et Allemand ?

— C'est un miracle ! plaisanta la coiffeuse. Tu parles ! Et sans aucun accent allemand !

Depuis son auto, Francesco ne put retenir une grimace, même s'il était philosophe. Ou croyait l'être. Et là, il ne savait plus s'il était aristotélicien ou platonicien. Une chose était certaine, il ne se réjouissait pas. Alors il inclinait peut-être du côté de Platon.

Il suivit Gabrielle et Jonathan jusqu'à Montréal. Une autre aventure.

La fausse religieuse conduisait comme à l'aller, en commettant toutes sortes d'infractions. Enfin le boulanger put respirer : elle se gara en face du *tourist room*, lui de l'autre côté de la rue.

Il se demanda, anxieux, si Gabrielle allait monter à la chambre avec cet autre homme.

Elle semblait parlementer avec lui sur le trottoir. Discutait-elle de tarifs ?

Elle disait plutôt, bien banalement :

— Ça m'a donné faim, toutes ces émotions, on va manger des hot dogs *all dressed* au Montreal Fool Room ?

Elle avait dit « Fool Room » au lieu de « Pool Room ». Jonathan trouva ça *full* drôle et sourit, en se demandant si elle plaisantait ou si elle avait mal compris le nom du boui-boui. On ne savait jamais avec elle.

Seulement, une chose était certaine : elle avait des couilles ! De la présence d'esprit et des talents cachés : non seulement avait-elle tiré Louis des limbes, mais elle avait aussi déjoué tout le monde, policier et parents confondus !

Malgré sa reconnaissance infinie, Jonathan dit :

— Si ça te dérange pas, je vais te laisser y aller toute seule, il faut que je travaille.

— Je comprends.

Elle comprenait toujours tout d'ailleurs.

Ou en tout cas elle faisait comme on devrait toujours faire, si on était un tantinet plus sage et surtout si on se prenait un peu moins au sérieux : elle acceptait tous les événements avec la meilleure disposition d'esprit possible, sans jamais considérer qu'on lui devait quoi que ce soit, n'éprouvant jamais l'envie spontanée de reprocher aux autres sa propre mauvaise humeur, ses manquements, ses erreurs.

Jonathan lui fit la bise sur les joues : deux autres coups de poignard dans le cœur de plus en plus jaloux de Francesco !

63

Il traversa la rue sans vraiment se soucier de la circulation, l'œil fixé sur la belle Gabrielle qui s'éloignait de son habituel pas ailé comme celui de Mercure.

Dans sa distraction, il faillit être heurté par un taxi. Le chauffeur le klaxonna, l'injuria. Francesco ne se retourna même pas.

Lorsqu'il atteignit le trottoir opposé, pourtant, le cœur lui sautait dans la poitrine. Est-ce pour cette raison qu'il n'osa pas accoster Gabrielle tout de suite ? Lui qui travaillait avec le public, qui avait toujours eu une aisance considérable, il se sentait tout à coup timide, moins audacieux, presque paralysé.

Gabrielle passa devant le dépanneur du coin, et même si elle avait récemment découvert les joies douteuses du *fast food*, et avait proposé à Jonathan une expédition au « Montreal Fool Room », elle éprouva la soudaine envie de déguster un pamplemousse.

Rose.

Comme ses lèvres, parfois.

(Car parfois aussi elles étaient rouges.)

Comme l'idée qu'elle se faisait — encore — de la vie.

Jusqu'à nouvel ordre.

Le patron, un Vietnamien de trente ans qui n'avait pas souvent pour clients des religieuses, la regarda avec surprise.

Et lorsqu'elle posa sur le comptoir son pamplemousse rose, il trouva encore plus curieux qu'elle fût entrée dans son établissement pour acheter cet agrume inusité, surtout à vingt heures trente ou presque, alors qu'en soirée les clients venaient plutôt pour la bière, les cigarettes, les billets de loto, les films pornos, toutes ces grandes et petites béquilles du mal de vivre moderne ou post-moderne.

Son étonnement connut un sommet lorsqu'elle voulut le régler en lui tendant un billet de cent dollars. Vraiment bizarre, la sœur! Et riche en tout cas!

Il examina discrètement le billet, pour vérifier son authenticité, malgré la main qui le lui tendait.

Un punk à côté de Gabrielle, avec un anneau dans l'oreille droite et une tête de mort tatouée sur la tempe gauche, attendait pour acheter des cigarettes.

Il avait seulement vingt ans même s'il paraissait en avoir déjà vingt-huit ou trente, car c'était un noceur, qui sniffait de la coke, se trouvait *cool*, ne croyait en rien sauf en son nihilisme inconscient qu'il trouvait plus louable que la lâcheté des *straights*.

— Vous auriez pas une plus petite coupure, ma sœur? demanda le Vietnamien.

— Euh… un instant… fit Gabrielle.

Elle regarda dans son enveloppe, où il devait bien lui rester, des trente billets de cent qu'elle avait reçus au départ du couvent, une bonne quinzaine de belles et brunes coupures.

Le punk vit l'enveloppe et son étonnant contenu.

Il afficha un air grave, comme s'il planifiait un méfait.

Le patron du dépanneur dit:

— Vous savez quoi, ma sœur? Oubliez ça!

— Oublier quoi?

— Le pamplemousse, je vous en fais cadeau. Vous direz des prières au Bon Dieu pour moi!

— Je n'y manquerai pas, l'assura Gabrielle, qui remit son enveloppe dans sa poche et prit gaîment son pamplemousse.

— Mais aussi, rentrez tout de suite chez vous ! Méfiez-vous des étrangers !

— Ah… pourquoi ?

Il regarda le punk à côté d'elle et dit seulement, croyant que cela suffirait :

— Parce que.

Cela n'allait pas suffire, visiblement, parce que le jeune homme renonça à ce qu'il voulait acheter, de vulgaires cigarettes, et suivit Gabrielle, avec, de toute évidence, des intentions pas très catholiques.

64

Sur le trottoir, alors qu'elle pelait avec une grande application son pamplemousse rose, le punk se planta devant elle et fit briller sous son joli nez la lame rutilante de son couteau à cran d'arrêt.

— Votre argent, madame la sœur! Pour la pension alimentaire de mes trois enfants, plaisanta-t-il. Mon ex me croit milliardaire comme le fondateur du Cirque du Soleil.

— Ah! d'accord! Je vois.

Elle ne voyait pas, évidemment, ne connaissant pas Guy Laliberté ni ses célèbres démêlés avec son ex.

Elle est idiote ou quoi? pensa le voyou, les yeux ronds, un large sourire aux lèvres.

Gabrielle sortit son enveloppe de sa poche et la tendit avec indifférence au jeune voleur, comme si elle lui rendait simplement un service.

Il n'eut pas le temps de la prendre, malgré sa main aussitôt tendue avec ravissement.

Car Francesco, qui avait suivi la jeune femme et se tenait non loin de la porte du dépanneur, lui sauta dessus.

Le punk le blessa à la main gauche pendant le combat qui s'était engagé.

Mais Francesco le désarma bientôt, le souleva sans difficulté dans les airs et le projeta contre un mur.

Le punk, ébranlé, tomba sur le trottoir.

Le fougueux boulanger lui sauta dessus et le maintint au sol de sa main gauche blessée, puis leva son poing droit pour l'achever. Gabrielle, étonnée par sa violence, intervint.

— Francesco, qu'est-ce que tu fais ? Il me demandait juste un peu d'argent.

— Il voulait te voler, dit Francesco en se tournant vers elle.

— Pourquoi dis-tu ça ?

— Oui, pourquoi dis-tu ça ? surenchérit le voleur, ravi de l'aubaine — et de la naïveté de la jeune religieuse.

Francesco hésita. C'était invraisemblable, car il avait quand même aperçu le couteau sous le nez de la coiffeuse.

Il vit d'ailleurs l'arme sur le trottoir, près de lui.

Il baissa le bras, un peu honteux. Car la violence, ce n'était pas son truc : il ne jurait que par la douceur prônée par saint François, c'était sa loi, malgré la violence du monde, il faut faire un choix.

Le punk sourit.

Francesco se releva, embarrassé d'avoir explosé. Car il s'efforçait, en toute circonstance, de garder la haute main sur le noble gouvernement de son âme, le plus malaisé de tous.

Le punk se releva aussitôt, prit soin de récupérer son couteau et fila sans demander son reste, mais non sans avoir jeté un dernier regard déçu sur l'enveloppe pleine de billets de cent, dans la naïve main de Gabrielle.

C'est à ce moment seulement que la jeune femme nota que Francesco saignait.

Elle prit sa main, la regarda avec une certaine inquiétude et dit :

— Oh ! tu es blessé ! Viens, je vais te faire un pansement.

— Chez toi ?

— Oui, j'habite à trois pas d'ici, dans un immense *tourist room* !

Francesco ravala sa salive, et son cœur se mit à palpiter.

Et il ne savait toujours pas s'il était platonicien ou aristotélicien.

Il savait juste que son destin se jouerait là, peut-être.

Enfin.

65

La rue Sainte-Catherine, au coin de Saint-Alexandre, avait toujours porté chance à Jonathan, plus que le Village gai, à un kilomètre à l'est.

Va savoir pourquoi.

Il y a dans la vie de ces mystères, géographiques ou autres, plus inexplicables que ceux, souvent insondables, du cœur.

Et tiens, encore une preuve de ce que d'autres auraient peut-être vu comme une stupide superstition, voilà qu'une longue limousine noire s'immobilisait à côté de lui.

Le client, un homme dans la cinquantaine, très sérieux dans un sombre costume trois pièces, les cheveux noirs bien lissés, le visage rasé pour la deuxième fois de la journée, car il avait la barbe forte et se soignait, image politique oblige, baissa sa vitre et considéra le gibier. Son examen fut concluant.

— Tu montes?

Jonathan accepta sans se faire prier. Le client (un distingué ministre) lui ouvrit la portière, lui fit de la place sur la banquette arrière et sourit quand il monta.

Il se léchait même les lèvres, qu'il avait minces, comme le requin des affaires qu'il aurait aimé être. Mais il avait échoué, faute de génie, alors il s'était trouvé une noble cause, et s'était rabattu sur la politique, où les électeurs sont plus faciles à flouer que les clients.

Jonathan lui rendit son sourire, non sans un très commercial effort. Le chauffeur, une véritable armoire à glace, qui servait aussi de garde du corps au ministre, jeta un coup d'œil dans son rétroviseur. La gueule de Jonathan ne lui revenait pas, avec sa petite houppe de frappe. Mais les goûts du client ne se discutent pas. Surtout quand il est votre patron. Et ministre de surcroît.

— Roule! se contenta d'ordonner le ministre à son chauffeur.

Ministre ou pas, Jonathan ne modifia pas sa politique, seulement ses tarifs, qu'il doubla. Et il demanda comme d'habitude à être payé d'avance. Il ne fallait faire confiance à personne, surtout pas aux politiciens.

L'importance du client ne donna pas davantage à Jonathan le goût de la véritable prostitution.

Dès qu'il eut empoché son juteux cachet de deux cents dollars, il recourut à une autre de ses astucieuses martingales.

Il glissa subrepticement dans sa bouche une petite boule de plastique rouge, posa d'une manière théâtrale la main droite sur l'appuie-tête devant lui et feignit un malaise soudain.

— Qu'est-ce qu'il y a? s'inquiéta le ministre.

Le chauffeur ralentit, vérifia dans son rétroviseur ce qui se passait.

— Je ne sais pas, fit Jonathan, je ne me sens pas bien, je pense que...

Il ne termina pas sa phrase pour créer un maximum d'effet dramatique. En plus, il avait la capsule dans la bouche, ce qui gênait son élocution.

Il la croqua, la fragile coquille de plastique céda. Il se tourna vers son client pour qu'il voie bien le liquide rouge, qui se répandit aussitôt sur sa lèvre inférieure, son menton. Le ministre s'affola.

Et Jonathan se mit aussitôt à trembler, comme s'il était victime du haut mal.

Pourtant il parvint, avec une adresse qui aurait dû paraître suspecte au ministre, à ouvrir la portière et à se laisser tomber sur

le trottoir, où il continua à s'agiter comme un véritable épilep-
tique au plus fort de sa crise!

— Merde! s'exclama le politicien.

— On fait quoi, patron? lui demanda son chauffeur qui, par le
rétroviseur de la portière droite, pouvait voir Jonathan se tordre
de douleur sur le trottoir.

— Roule!

Dès qu'il perçut, du coin de l'œil, que la limousine s'éloignait,
Jonathan esquissa un petit sourire entendu et s'arrêta de jouer la
comédie.

Il posa la paume de ses deux mains de chaque côté de son cou.

Et il accomplit un véritable salto de gymnaste pour se retrouver en parfait équilibre sur ses pieds. Il avait appris ça en voyant
Marlon Brando le faire dans *Le Dernier Tango à Paris*, un de ses
vieux films préférés, avec Louis, car ils dansaient le tango (argen-
tin) comme des dieux.

Les curieux s'étonnèrent.

Quelle guérison rapide! Et en plus Jonathan souriait, malgré le
sang. C'était bizarre!

Le chauffeur le vit, comprit le subterfuge, laissa échapper un
juron avant d'appliquer brusquement les freins : s'il y avait une
chose qu'il détestait, c'était bien de faire rire de lui, surtout par les
mignons d'un soir de son patron.

66

Gabrielle revint du petit coin avec de la ouate, de la gaze et de l'alcool à friction que l'ancien locataire, qui tombait tout le temps dans les escaliers, vu son éthylisme avancé, avait laissés derrière lui, et pour cause : c'étaient les gens de la morgue qui étaient venus le chercher, après sa dernière chute qui lui avait fatalement fracturé l'occiput.

Nerveux, Francesco attendait la jeune femme, assis à la petite table de la cuisine, avec Juliette, qui lui avait été présentée et qui, depuis sa chaise haute, l'examinait avec curiosité, sinon inquiétude.

Gabrielle s'assit à la table et dit simplement :

— Donne-moi ta main !

— Chacun son tour de demander la main de l'autre, plaisanta-t-il.

Elle sourit, ouvrit la bouteille d'alcool à friction et prit la ouate, qu'elle humecta copieusement en prévenant Francesco :

— Ça va brûler !

Il haussa les épaules, empli de confiance. Mais quand la jeune femme tamponna la plaie, il ne put retenir une petite grimace et maugréa malgré lui. Juliette fit un drôle d'air comme si elle voulait vérifier que ce grognement n'était pas dirigé contre elle ou, pire encore, contre sa maîtresse, crime de lèse-majesté s'il en était.

— Ça fait mal ?

— Un petit peu. Oui.

Elle déposa la ouate. Examina la plaie. Puis elle confectionna le pansement.

Francesco frissonnait.

Parce qu'elle prenait sa main.

Le touchait.

Quand Gabrielle eut fini, elle dit simplement, visiblement satisfaite de son œuvre :

— Voilà !

— Merci. C'est…

Il tourna la main, comme s'il voulait mesurer toute la perfection du travail.

— Parfait ! Comme toi, osa-t-il.

Gabrielle ne dit rien, mais le regarda d'une drôle de façon, avec un drôle de sourire. Pas vraiment un sourire, à la réflexion, plutôt une sorte de flottement équivoque sur les lèvres, qu'elle avait si belles.

Le boulanger se pencha imperceptiblement vers elle. Il avait vraiment envie de l'embrasser.

— Il fait chaud, décréta la jeune femme, qui se recula comme si elle avait perçu son intention et que…

Et c'est vrai qu'il faisait chaud dans le petit *tourist room*, sans clim, surtout que la chambre se trouvait au troisième étage. Et qu'il n'y avait même pas de ventilateur. C'était un projet de Jonathan d'en acheter un.

Gabrielle, retirant son voile, libéra ses magnifiques cheveux blonds. Francesco en fut presque aussi troublé que si elle avait ôté son soutien-gorge, qu'il rêvait de voir.

Et de retirer, surtout depuis le Ritz.

À nouveau, et encore plus que la première fois, Francesco eut envie d'embrasser la jeune femme.

Un ange passa.

Il y eut un embarras entre Gabrielle et Francesco.

Francesco pensa aborder la question du Ritz, de la défection de Gabrielle, après une soirée pourtant fort prometteuse de danse, de champagne à profusion, de rires.

Il pensa aussi lui demander qui était le type avec qui elle était allée à l'hôpital de Saint-Jérôme. Et pourquoi diable elle y était allée. Et pourquoi ils avaient échangé un *high five*, et pourquoi il l'avait fait tourner dans ses bras, comme pour célébrer une grande joie.

Mais à la place, il dit:

— Tu sens bon...

Il avait reconnu chez elle, exaltée par la chaleur de la chambre, une odeur familière. Pas tout à fait la même que la sienne, vu la chimie différente des corps. Mais tout de même, fort proche.

Gabrielle rougit, se pencha pour prendre, dans son sac à main abandonné sur le plancher, le flacon d'*Acqua di Giò* acheté le matin.

Elle le posa sur la table.

Avec un demi-sourire.

Et un air coquin.

Il vit là un aveu.

La regarda dans les yeux.

Puis se pencha vers elle pour l'embrasser.

Elle ne le repoussa pas.

Ils se levèrent pour continuer la valse des baisers.

Francesco entreprit de dévêtir la jeune femme.

Ça lui fit drôle, malgré son désir fou, de lui retirer ses vêtements de religieuse. Même si elle n'en était pas une.

Comme elle était belle!

Une vraie déesse!

Avec ses longues jambes, ses hanches invitantes, la blondeur frémissante de son sexe, ses seins menus aux boutons roses comme une rose, ses épaules magnifiques.

Et ce sourire timide, sur ce visage divin…

Qui s'inclinait et disait : oui…

Pourtant, lorsqu'il se dévêtit, Gabrielle eut un mouvement de recul, comme si elle voulait mesurer — oui, c'est le bon mot, mesurer! — ce qui l'attendait.

Elle avait déjà vu — brièvement — un homme nu : le nonchalant Jonathan qui n'était pas bi, lui avait-il dit.

Mais, dans son inexpérience, elle ignorait que ça venait en différents « formats », un homme!

Juliette, témoin de la scène, semblait partager les hésitations de sa maîtresse, abondait de toute évidence dans son sens, car elle se mit à grogner en voyant le beau Francesco dans tous ses états.

Mais tout se passa parfaitement.

Gabrielle, certes, émit un petit cri de douleur lorsque Francesco entra dans la citadelle de son cœur, par le chemin entre ses jambes émues.

Mais ensuite ce fut l'extase.

Et Francesco s'étonna de la fougue de la jeune femme, qui n'avait rien de celle d'une religieuse.

Elle apprenait vite.

Aussi vite qu'elle avait appris à jouer aux quilles.

Elle faisait même la « partie parfaite ».

La partie parfaite qui, pourtant, ne sembla pas la contenter.

Car elle voulut tout de suite en jouer une deuxième.

Puis une troisième.

Devant un Francesco éberlué, et presque épuisé.

Et une Juliette qui avait fini par s'habituer, même si, au début, elle avait craint le pire pour sa maîtresse adorée!

Le front perlé de sueurs, un sourire ravi sur les lèvres, les deux amants goûtaient le repos du guerrier — amoureux — sur l'oreiller, et Gabrielle déclara :

— Je suis d'accord.

— Tu es d'accord ? À quel sujet ?

— Pour Las Vegas. On part quand ? Enfin, je veux dire si mon patron me donne congé.

— Euh... on part... Il faut vraiment partir tôt.

— Quand tu voudras, mais...

— Mais quoi ?

— Est-ce qu'il faut toujours se marier tout de suite quand on devient amoureux ?

Francesco plissa les lèvres.

Il éprouvait tout à coup un horrible remords, même après ce triple ravissement avec la femme de sa vie.

— Il y a quelque chose qu'il faut que je te dise, avoua-t-il.

Et il semblait être l'homme le plus torturé du monde.

67

Rue Sainte-Catherine, dans la limousine, le chauffeur ne demanda même pas son opinion à son patron.

La ruse de Jonathan, il la prenait comme une insulte personnelle.

Il fit marche arrière à toute vitesse. Le ministre, qui était au téléphone pour régler quelque crise, politique ou personnelle, ne s'en rendit même pas compte.

Arrivé à la hauteur de Jonathan qui, l'œil amusé par son coup fumant, marchait vers Saint-Laurent en s'essuyant la bouche d'un mouchoir, le chauffeur freina, sauta de la limousine et l'attrapa sans peine. Il lui asséna quelques coups de poing. Jonathan tomba pour de vrai, cette fois-ci. Le chauffeur fouilla ses poches, récupéra les deux cents dollars, prit même tout ce qu'il y trouva.

Le ministre le vit. Il n'était pas d'accord, évidemment, mais il était trop tard. Il ouvrit sa vitre et dit simplement :

— Viens, viens !

Le chauffeur ne put résister à la tentation de donner à Jonathan un coup de pied dans le ventre. Le jeune homme, se tordant de douleur, chercha son souffle, pendant que le chauffeur retournait vers la limousine. Mais il revint sur ses pas. Il avait oublié un détail important. Il se pencha vers Jonathan, lui arracha le cellulaire qu'il portait à la ceinture et le jeta violemment au sol puis, précaution supplémentaire, l'écrasa d'un coup de

292 | LA COIFFEUSE DE DIEU

talon. Comme ça, même si la brillante idée lui venait de prendre une photo de la plaque de la limousine, il ne pourrait pas.

— Continue à faire ton cinéma, *loser*! jeta-t-il avant de courir vers la limousine, car il voyait son patron sur le point d'éclater, même s'il approuvait assurément la précaution. Il démarra en trombe, puis se tourna vers la banquette arrière en brandissant fièrement les billets :

— Tenez, fit-il, votre fric.

— Merci.

Le ministre prit l'argent — sa raison de vivre, après les jeunes hommes — et, dans un élan de générosité, remit à son chauffeur un billet :

— Pour le beau travail !

Le chauffeur regarda le billet, juste un vingt.

— Merci, patron, dit-il en feignant la reconnaissance pour cette fausse générosité.

Il leva les yeux au ciel et roula vers le Village gai. Le soir tombait maintenant, et son patron ne se gênerait probablement pas pour y faire à nouveau ce qu'il appelait en riant un petit *pick up*, c'est-à-dire lever un prostitué mâle, sa fantaisie.

Encore couché sur le trottoir, Jonathan tentait de retrouver son souffle et grimaçait de douleur.

Il aperçut son cellulaire — ou plutôt ce qui en restait.

— *Shit*! se désola-t-il. Il était neuf !

Des touristes — japonais — s'approchaient de lui. Prenaient des photos. En échangeant des commentaires ravis et étonnés. *Montréal était une grande ville !*

Un policier qui patrouillait dans le secteur — surtout pour cueillir ou éloigner des prostituées, ou épingler des *pimps* et des *pushers*, parfois les mêmes ! — aperçut alors Jonathan.

Il s'arrêta, descendit de son véhicule et s'approcha du jeune homme qui, visiblement, vu son air grimaçant et le sang sur son menton, avait été victime d'un assaut brutal.

Jonathan était tout sauf ravi de le voir arriver.

Il avait raison, car, comble de malchance, le policier le reconnut aussitôt, malgré ses cheveux teints : c'était le jeune homme recherché pour tentative de meurtre ! La fugue de Jonathan venait de prendre fin. Mais il s'en foutait, maintenant que ce n'était plus qu'une question d'heures avant que la vérité n'éclate au grand jour !

68

— Il faut que je te dise, mon père est en train de perdre la boulangerie… enfin les boulangeries, parce qu'il en a trois, expliqua Francesco.

— Ah! bon… fit Gabrielle, qui ne voyait guère pour quelle raison il lui décrivait cette situation.

— Et il m'a demandé un service bizarre.

— Quel service?

— Un homme d'affaires riche est prêt à nous racheter à condition que j'épouse sa fille Angela.

— Tu es fiancé à une autre femme?

— Non, non, pas du tout!

— Je ne comprends pas. Si cet homme veut que tu te maries avec sa fille, c'est que vous vous fréquentez déjà.

— Pas du tout. Bon, d'accord, Angela vient parfois à la boulangerie, mais je ne suis pas intéressé par elle.

— Alors pourquoi me parles-tu d'elle?

Elle se raidissait. Ne semblait pas saisir, pas plus que Juliette, qui les observait avec un air suspicieux.

— Parce que j'ai pensé que si on se mariait tout de suite, nous deux, mon père me foutrait la paix avec son service stupide.

Elle sauta du lit en se sentant tout à coup embarrassée de se trouver nue en présence de Francesco.

— C'est pour régler ton problème avec ton père que tu veux m'épouser? que tu m'as invitée au Ritz, m'a fait boire, danser? C'est pour ça que tu viens de faire l'amour avec moi, moi qui croyais que...

— Non, pas du tout, protesta Francesco, je t'aime.

Elle prit ses vêtements et les lui lança.

— Va-t'en!|

Il n'osa pas protester. Il se rhabilla, pendant qu'elle passait un peignoir.

Au moment de sortir, il voulut s'approcher d'elle pour tenter de l'embrasser, mais elle tendit la main : elle tenait le flacon d'*Acqua di Giò* d'Armani.

— Tiens, comme ça tu sentiras bon à ton mariage.

Il eut une hésitation, mais, pour ne pas la contrarier davantage, il prit l'eau de toilette.

— Je te jure, Gabrielle, tu ne comprends pas, c'est toi que j'aime, je n'ai jamais voulu épouser cette femme.

Pour toute réponse, elle se détourna de lui tandis que sa chienne Juliette, qui comprenait son désarroi, aboyait à s'en époumoner.

En sortant du *tourist room*, le boulanger se sentait le plus malheureux des hommes.

Il prit le flacon d'Armani, qui était la preuve que Gabrielle l'avait déjà dans la peau, et dans un mouvement de dépit il le jeta dans une poubelle.

69

Gabrielle, qui n'avait pas pu résister à la tentation de regarder Francesco s'éloigner par la fenêtre unique du *tourist room*, en serrant contre elle Juliette, pleura presque toute la nuit et ne s'endormit qu'au petit matin.

Elle se réveilla en retard, arriva à dix heures vingt au salon de coiffure.

— *Oh boy*! fit Josette, entre ses dents, en la voyant arriver, car elle s'affairait sur la tête d'une cliente. Tu as couché sur la corde à linge ou quoi?

Gabrielle esquissa un sourire coupable.

— Francesco et toi, vous avez…

Elle ne dit pas ce qu'ils «avaient», mais c'était évident, et le nouveau sourire de Gabrielle l'avoua.

Pourtant, elle ne paraissait pas heureuse.

Elle semblait même, pour la première fois de sa vie, infiniment malheureuse.

Et ça intrigua encore plus Josette, qui ne l'avait toujours vue que légère et belle dans la perfection du bonheur.

Aussi expédia-t-elle sa cliente en deux temps trois mouvements, prit son miroir à main et sollicita son approbation en lui montrant sa nuque glorieuse avec sa mise en plis nouvelle.

— Euh… oui, c'est très bien, admit la cliente non sans une certaine déception.

Elle aurait sans doute aimé pouvoir terminer le fascinant récit de ses déboires avec son mari, à qui le tout-puissant Viagra ne réussissait pas aussi bien que dans les publicités. Mais il faudrait qu'elle revienne. Elle prit d'ailleurs tout de suite un nouveau rendez-vous pour la semaine suivante : une coiffeuse est moins chère qu'un psy, et souvent donne d'aussi bons avis ! En plus, à la sortie de son « bureau », vous êtes plus jolie, double bénéfice.

— Alors ?

— Ça s'est vraiment bien passé. Surtout la deuxième fois.

— La deuxième fois ?

— Oui. Et la troisième, je t'en parle pas, j'ai failli m'évanouir à la fin. Je ne sais pas ce qu'il me faisait, mais il le faisait bien.

— Les Italiens ! Ça ne trompe pas.

— Ben lui, il m'a trompée.

— Déjà ?

— Oui, il m'a avoué que s'il voulait se marier si vite, c'est juste parce qu'il voulait pas se marier avec une certaine Angela.

— Angela ?

— Oui. Son père veut racheter leur boulangerie. Une histoire de gros sous. J'ai rien compris. Je sais juste qu'il m'a menti.

— Mais s'il te l'a dit, il t'a pas menti.

— Je lui ai dit que c'était fini.

— Tu lui as dit que c'était fini ? Après avoir fait l'amour trois fois avec lui ?

— Oui.

— Mais voyons, Gabrielle ! S'il veut encore que vous vous mariiez à Vegas, ça veut quand même dire que c'est toi qu'il aime.

Gabrielle n'eut pas le temps de répliquer, car deux messagers en uniforme faisaient leur entrée surprenante au salon de coiffure.

— Une livraison pour madame Josette, expliquèrent-ils à Carlo, qui parut intrigué.

Et agacé…

Comme si son petit doigt lui disait que…

70

Les fleurs, les billets d'avion en première pour Paris avec un luxueux séjour au Plaza Athénée, la demande en mariage sous forme de faire-part, Josette y avait résisté sans trop d'efforts.

Mais là, les deux magnifiques bicyclettes identiques que Jean Lacroix faisait livrer pour ses jumelles, ça la faisait hésiter.

Bien sûr, elle avait expliqué à Gabrielle que, vu leur écart d'âge — quinze et quelques années —, elle ne voulait pas être infirmière mais amoureuse. Toutefois, cet homme était absolument mignon. Et il avait vraiment l'air de la vouloir. De vouloir la gâter. Prendre soin d'elle. Ça la changeait de Carlo qui, lui, avait vraiment l'air de vouloir toutes les femmes. Sauf elle. Déprimant à la fin. Peut-être valait-il mieux, en tout cas pour son moral fragile, se laisser aimer que d'aimer.

Que d'aimer un homme qui ne l'aimait pas.

Accompagnant les surprenants cadeaux, une carte demandait simplement : « On lunche ensemble, beauté ? »

— C'est quoi, ces bicyclettes ? demanda Carlo, qui peinait à cacher sa contrariété.

— Un cadeau de Jean Lacroix.

— Il veut t'acheter ou quoi ?

— Oui, il veut m'acheter. Moi, je trouve ça sympa, un homme qui veut m'acheter, surtout à mon âge. Ça prouve que je vaux encore quelque chose à ses yeux, même si j'ai pas vingt-deux ans et des seins gonflés à l'hélium.

Carlo esquissa une grimace.

Il examina les bicyclettes, leur chercha quelque défaut, pour se donner une contenance. Il nota que les pédales étaient ornées de voyants lumineux et plutôt… voyantes.

— Regarde les pédales! dit-il. Ça prend vraiment un *phony* pour acheter des vélos qui flashent autant.

— Qu'est-ce que t'as contre les pédales, Carlo? plaisanta Paul qui s'approchait. Tu oublies qu'on est dans le Village gai ou quoi?

— Très drôle! rétorqua Carlo.

Et il alla s'enfermer dans son bureau.

— Encore de bonne humeur ce matin, le petit coco, ironisa Josette.

Le téléphone du salon sonna. Elle répondit, puis tendit l'appareil à Gabrielle.

Qui prit l'appel et eut tout de suite l'air catastrophé.

— Qu'est-ce qu'il y a? demanda Josette.

— C'est Jonathan. Il est en prison.

— En prison? Pourquoi?

— Ce serait trop long à t'expliquer.

De toute manière, une nouvelle cliente arrivait, qui exigeait ses services. Et surtout une consultation. La réputation de la coiffeuse de Dieu s'était répandue comme une traînée de poudre. Elle était la petite nouvelle chez Michel Ange, la coiffeuse blonde qui parlait à la Sainte Vierge comme au 911, et surtout vous prédisait votre avenir, vous expliquait quoi faire de votre vie, surtout si vous n'en aviez pas. Et vous disait ça au bout de trois coups de peigne. Assez irrésistible comme formule.

À onze heures, un messager vint livrer une rose rouge.

Unique.

Plutôt zen comme bouquet.

Carlo, qui était revenu au comptoir, eut peine à contenir son irritation et grommela, après avoir repoussé de sa tempe gauche une mèche de ses cheveux poivre et sel, clé de tant de ses succès féminins :

— Il va s'arrêter quand, le marchand de sentiments ?

Il pensait évidemment à Jean Lacroix, qu'il trouvait puant avec son argent et ses cadeaux, et croyait que la rose était pour Josette ; mais elle était pour Gabrielle !

— Oh ! Francesco veut se faire pardonner, remarqua Josette en voyant la fleur des fleurs, que Gabrielle, ravie, mit tout de suite dans un vase après l'avoir humée avec déception : comme bien des roses de fleuriste, elle ne sentait rien, surtout en comparaison de celles qu'elle avait fait pousser pendant des années dans le jardin de la Vierge.

Pourtant, il n'y avait pas de mot d'accompagnement.

— Oh, un admirateur inconnu ! s'exclama Josette.

À midi et à quinze heures, une autre rose rouge arriva.

Toujours anonymement.

— L'intrigue se complique, fit Josette, ou monsieur est timide.

Gabrielle se contentait de hausser les épaules, modestement, de mettre les roses dans le vase après les avoir humées inutilement, car elles ne sentaient rien, pas plus que la première : roses de ville et non pas roses des champs, nuance infinie.

L'intrigue se dénoua à dix-huit heures pile.

L'inconnu qui avait fait livrer séparément ces roses, comme pour produire plus d'effet — et cela en avait produit un, en tout cas auprès de Josette ; pour Gabrielle, c'était plus difficile à dire —, se présenta à la porte du salon avec une quatrième rose.

Josette et Paul trouvèrent que c'était charmant, cette poésie citadine, surtout que le messager n'était nul autre que le beau Francesco, la main gauche encore enveloppée dans le pansement confectionné la veille par Gabrielle.

Carlo souleva les épaules : du chiqué, ce romantisme ! Gabrielle, elle, on ne savait pas trop ce qu'elle pensait. Elle ne disait rien. Ne souriait pas. Se rappelait sans doute la dispute de la veille. Et surtout son motif. Qui ne s'effaçait pas comme ça avec trois ou quatre roses. Ç'aurait été trop facile.

Son cellulaire sonna avant qu'elle n'ait le temps d'aller trouver Francesco, qui esquissait un sourire timide, pas si sûr de son entreprise. C'était Jonathan qui appelait depuis la prison.

— J'ai appelé à l'hôpital. Louis est retombé dans le coma.

— Oh ! vraiment désolée.

— Si Louis meurt avant de sortir du coma, je vais passer le restant de mes jours en prison.

— Je sais, je sais. Je retourne tout de suite à l'hôpital.

— Tu me le jures ?

— Oui. Je te le jure, sur la tête de la Sainte Vierge.

Voilà qui était une promesse sérieuse. Et qui en tout cas satisfit Jonathan, car il raccrocha aussitôt.

Gabrielle était songeuse, et elle le resta lorsque Francesco, qui s'était approché, osa lui remettre la dernière rose.

— Est-ce que… est-ce qu'on peut aller prendre un verre ensemble ?

Elle lui aurait peut-être répondu oui.

Car il ne manquait pas de charme, avec sa rose dans sa main tremblante. Et puis, même si, la veille, elle lui avait donné son congé et remis son flacon d'*Acqua di Giò*, elle trouvait encore qu'il était beau. Et Josette avait peut-être raison, qui, toute la journée, lui avait seriné de lui donner une deuxième chance, que cette Angela n'était probablement rien pour lui.

Mais tout à coup, les yeux de Gabrielle s'arrondirent en une expression de frayeur infinie.

— Qu'est-ce qu'elle a ? demanda Francesco à Josette.

— Une vision, probablement.

Josette avait deviné juste au sujet de la jolie coiffeuse : celle-ci avait une vision.

Elle voyait, dans la chambre de Louis, toujours dans le coma, son père, le digne maire de Saint-Jérôme, qui parlait avec un homme vêtu d'un sarrau blanc, un stéthoscope au cou : c'était le docteur Blanchard, qui soignait son fils et à qui il remettait nerveusement une enveloppe.

Puis les deux hommes se serraient la main, et le docteur Blanchard se tournait vers Louis avec une affreuse expression de culpabilité.

Gabrielle revint à elle et se contenta de dire à Francesco :

— Je ne peux pas. J'ai déjà quelque chose.

— Mais je… j'aimerais vraiment qu'on se voie. C'est important, je… je voudrais qu'on se parle… au sujet d'hier, et de nous deux, je… je pense que je…

— Je ne peux pas, dit-elle un peu sèchement. Vraiment désolée.

Cela le tua. Vraiment. Elle le vit. Mais elle avait donné sa parole à Jonathan.

Elle quitta aussitôt le salon, l'air préoccupé, presque affolé.

Francesco, lui, avait l'air piteux.

Vraiment.

Et il pensa qu'il ne lui restait guère de temps et que peut-être, à la fin, il vaudrait mieux dire oui à Angela.

Et sauver son pauvre père de la faillite.

Il repartit avec sa rose, devant une Josette qui semblait infiniment désolée : ça ne marcherait pas pour les deux amoureux d'un soir. Pourtant, ils étaient si beaux ensemble. Et si parfaits l'un pour l'autre avec leurs idées semblables sur la religion et le reste.

À la sortie du salon de coiffure, Francesco respira la rose, constata, comme Gabrielle avant lui, que ce n'était pas une variété odorante et la jeta sur le trottoir, comme par désir de vengeance, car la fleur n'avait pas été ouvrière de réconciliation.

71

— Ma femme ne vit plus, docteur, expliqua le maire Cromp, qui aurait pu être comédien, car il était depuis si longtemps politicien. Elle sait que même si notre fils revient à lui pour de bon et non pas pendant quelques secondes, comme hier, il sera probablement un légume pour le restant de ses jours.

Les deux hommes se trouvaient à l'hôpital de Saint-Jérôme, dans le bureau exigu du docteur Blanchard, ce qui était légèrement différent de la vision effroyable de Gabrielle, mais juste pour le décor, pas pour l'essentiel.

— Il faut ce qu'il faut, ajouta sèchement le maire.

— Je ne suis pas sûr de vous suivre, monsieur le maire.

— Ce n'est pas une décision facile, je sais. J'adore mon fils, c'est toute ma vie. Mais parfois, il faut penser aux autres avant de penser à soi. Si vous pouvez l'aider à se libérer de l'enfer qui l'attend, vous aurez votre subvention de la Ville pour le nouveau scanneur de trois millions.

72

Gabrielle avait raisonné simplement: le déguisement avait été efficace la première fois, il ferait merveille à nouveau. Il ne faut jamais changer une formule gagnante!

Aussi, vêtue en religieuse, fonçait-elle au volant de la Jaguar vers l'hôpital de Saint-Jérôme, avec l'intrépide Juliette sur l'accoudoir gauche, le nez au vent.

73

Il y avait un pli profond dans le large front du docteur Blanchard, assez bien de sa personne malgré un embonpoint dont il ne pouvait se débarrasser et une tête déjà presque toute blanche à cinquante-sept ans seulement.

« Euthanasier », c'était le mot moins accablant qu'il avait choisi pour abréger commodément la souffrance du fils du maire.

Et obtenir son scanneur de trois millions.

Il hésitait pourtant.

Ce n'était pas tout à fait conforme au code de déontologie de son honorable profession, d'accéder à cette requête. Et même pas du tout.

En revanche…

Comme il avait des lettres, il pensa à ce fameux problème du Chinois que pose Jean-Jacques Rousseau. Ou Chateaubriand, il ne savait plus trop : « Si vous pouviez tuer un Chinois habitant à l'autre bout du monde, sans conséquence aucune, mais avec quelque gain en échange, le feriez-vous ? »

Le fils du maire n'était pas un Chinois qui vivait à l'autre bout du monde, il s'en fallait de beaucoup. Et le geste du médecin pouvait avoir des conséquences ruineuses, même si de toute évidence la famille ne porterait jamais plainte contre lui ou l'hôpital puisqu'il s'agissait d'un vœu clairement exprimé par le maire, d'une « commande » si l'on peut dire.

Tout le monde s'achète, tout individu a un prix. La conscience du médecin pourtant se rebiffait.

Mais quand il mit dans la balance de son sens moral que pour une vie qui était sans doute finie, il en sauverait probablement des centaines, et en tirerait une gloire certaine, il arrêta son choix.

Il accepterait la proposition du maire : *on ne fait pas d'omelette sans casser des œufs.*

Le fils du maire se trouvait juste au mauvais endroit au mauvais moment.

Ou lui, le distingué médecin, se trouvait au bon endroit au bon moment, pour avoir enfin son scanneur de trois millions qui sauverait des centaines de vies.

Ne restait qu'à arrêter la manière la plus efficace de mettre fin à la longue et inutile agonie de Louis.

Le docteur Blanchard pensa aussitôt qu'il n'avait pas à faire des pirouettes sans fin : comme pour bien des patients en phase terminale, un peu de morphine ferait le travail. Vite et bien. Et, surtout, sans trace. D'autant que ce serait lui qui rédigerait le rapport de décès.

Car entre le coma et la mort, il suffisait en général d'un petit coup de pouce du destin.

Ou du médecin.

Et comme on n'est jamais aussi bien servi que par soi-même, et que cela supprimerait *ipso facto* tout risque de trahison, même de son personnel qui lui était infiniment dévoué, il décida qu'il agirait seul.

Et, l'air déterminé, avec même une certaine dureté, il se dirigea aussitôt vers la pharmacie de l'étage.

74

Lorsque le vent devenait trop fort sur son mignon petit museau, que ses yeux, même plissés, lui chauffaient trop, Juliette retraitait de la fenêtre du chauffeur vers la banquette du passager. Elle s'y assoyait sagement, un peu piteuse toutefois, car le spectacle de la boîte à gants est toujours moins transcendant que la route et ses hasards aussi innombrables que merveilleux.

Elle le fit lorsque l'odomètre de la Jaguar atteignit cinquante-trois kilomètres, pas un de plus, pas un de moins. C'était toujours la même chose, la même limite au-delà de laquelle son ticket de spectatrice ravie n'était plus valide. Gabrielle en sourit : Juju était si adorablement prévisible !

Mais elle perdit rapidement son sourire : allait-elle arriver à temps à l'hôpital, avant que son horrible vision ne se réalise ?

Fidèle à son étonnante habitude, elle roulait vite, et les autres automobilistes ne manquaient pas de la trouver rock and roll, la religieuse, dans sa vieille Jaguar.

Sur l'autoroute 15, passablement achalandée, car l'heure de pointe n'était pas encore tout à fait terminée, il y eut un bouchon à un kilomètre à peine de l'hôpital.

C'était probablement un accident. Ou des travaux de réparation. Impossible de savoir.

Tout ce que Gabrielle savait, c'est que cela la contrariait suprêmement.

Tout ce qu'elle savait, c'est que le temps lui était compté.

Et même, elle éprouvait un drôle de malaise au creux de l'estomac, comme si quelque chose de très grave se passait.

Devant elle, le bouchon, interminable. Et qui serait peut-être responsable de la mort de Louis, de son assassinat par une discrète injection létale.

Mais comme elle était dans la voie de droite, elle constata alors, enchantée, qu'il y avait une voie qu'aucun automobiliste n'utilisait : la voie d'accotement !

Les gens sont bizarres parfois, pensa-t-elle, *ils se compliquent inutilement la vie.*

Son ignorance la servait. Du moins le crut-elle.

Large sourire aux lèvres, pas peu fière de sa trouvaille, elle donna un petit coup de volant vers la droite et s'engagea sur l'accotement.

— Maman a trouvé un truc pour arriver à temps ! se vanta-t-elle à Juliette qui jappait sa joie et se replaça sur ses genoux pour retrouver sa place aux premières loges, et être par la même occasion spectatrice de son triomphe. Qui fut de brève durée.

Un policier, pris comme tout le monde dans le bouchon, les vit passer à côté de lui et secoua la tête, incrédule devant la délinquance stupide des automobilistes. Il sourit, actionna son gyrophare, prit Gabrielle en chasse. Ne s'arrêtant toujours pas, celle-ci roulait allègrement sur l'accotement. Elle aperçut enfin la sortie Saint-Jérôme centre-ville et soupira de soulagement. Enfin elle touchait au but. Elle arriverait à l'hôpital avant que la terrible vision ne se réalise. Mais la sortie n'était pas aussi accessible qu'elle l'avait cru. D'autres automobilistes impatients avaient eu la même idée qu'elle et avaient triché avec le règlement. Elle n'eut d'autre choix que de s'immobiliser.

Ravi, savourant à l'avance son triomphe, le policier sortit aussitôt de son véhicule, marcha vers la Jaguar, carnet de contraventions en main. Il serait sans pitié. Il y avait non seulement infraction au Code de la route, mais délit de fuite.

— Vous n'avez pas entendu ma sirène? hurla-t-il en arrivant à la hauteur de la Jaguar.

Pourtant, dès qu'il se rendit compte qu'il s'adressait à une ravissante religieuse qui, embarrassée, se contentait de lui offrir un sourire coupable, il retira spontanément sa casquette, confus, et dit:

— Oh! ma sœur je… je ne me rendais pas compte que…

— Le fils du maire de Saint-Jérôme est à l'article de la mort à l'hôpital, et je tente de le voir avant pour faire une dernière prière pour son âme.

— Oh, alors je vous escorte, ma sœur, suivez-moi!

75

Le docteur Blanchard mit sa conscience dans un comparti-
ment — ce en quoi bien des hommes excellent, surtout quand il
s'agit de sentiments.

Et dans sa petite trousse noire, il mit une seringue et un
flacon de morphine. Puis il marcha d'un pas résolu mais inquiet
vers la chambre de Louis.

Il tomba sur le policier en faction, dont il n'avait pas prévu
l'encombrante présence. Ce n'était pas le même policier que
lors de la première visite de Gabrielle, mais un type entre deux
âges, en fait plus près de la soixantaine, et plutôt ventripotent
pour le métier qu'il exerçait.

— Ah! bonjour, doc. Je peux vous aider?

— Oui, je… est-ce que le patient est seul?

Il avait dit ça nonchalamment, en sourcillant vers la porte.

— Oui, oui, et il est plutôt tranquille. Coma profond, qu'on
m'a dit.

— En effet, il n'en a plus pour bien longtemps, malheureu-
sement.

— Si ma femme pouvait en avoir, une petite crise, je veux dire
de coma, je serais pas déçu. Elle parle tout le temps.

— Moi, la mienne, ça fait trois jours que je ne lui ai pas parlé :
je n'ai pas voulu l'interrompre!

— Ah! se contenta de dire le policier, qui ne la rit même pas.

Le médecin le trouva con, mais ne prit pas ombrage de son insuccès : le mot n'était pas de lui, mais de Sacha Guitry.

Il regarda dans le corridor avec inquiétude, comme s'il craignait une visite inattendue.

76

Le policier escorta fièrement la jeune religieuse jusqu'à l'hôpital, dans lequel elle s'engouffra, avec dans les bras une Juliette qui semblait se demander la raison de semblable hâte. Elle traversa le vestibule en courant, non sans éveiller la curiosité des visiteurs et de certains membres du personnel qui se demandaient quelle mouche l'avait piquée.

Elle vit la porte de l'ascenseur ouverte, mais celle-ci se referma juste avant que Gabrielle n'arrive, sans que personne ne daigne la retenir poliment. Gabrielle pesta. Elle appuya à plusieurs reprises, et non sans une impatience qui ne lui était guère familière, sur le bouton d'appel des deux ascenseurs. Le second s'ouvrit au bout de quelques secondes. Il était plein. Gabrielle esquissa un sourire déçu.

— Meilleure chance la prochaine fois, ma sœur! ironisa un infirmier qui semblait se moquer d'elle au lieu de lui céder aimablement sa place, car il était tout sauf pressé, plongé dans de passionnants mots mystères.

Contre toute attente, Gabrielle le prit mal. Elle saisit l'infirmier par le collet et le tira hors de l'ascenseur, avec une force dont elle se surprit elle-même tout autant qu'elle étonna l'infirmier. Il faut dire qu'il était gringalet, et elle, gonflée à bloc. Il voulut réintégrer l'ascenseur, quitte à pousser les passagers pour cela, mais il avait échappé son fascinant cahier de mots mystères. Le temps qu'il le ramasse, la porte se refermait :

— Meilleure chance la prochaine fois, fit Gabrielle avec un sourire.

Dans l'ascenseur, tous les passagers la regardaient avec un mélange de crainte et de respect. Elle était bizarre, la sœur, et peut-être dangereuse. En tout cas, pas à prendre avec des pincettes. Mais toutes les inquiétudes au sujet de son intrigante personne se dissipèrent quand on aperçut Juliette dans ses bras. Nul être ne pouvait être vraiment mauvais, qui possédait un si charmant animal !

Gabrielle arriva enfin à l'étage avec au cœur une angoisse grandissante, comme si elle sentait que de toute manière elle arriverait trop tard…

Aussi sortit-elle précipitamment de l'ascenseur et marcha-t-elle le plus vite qu'elle put vers la chambre de Louis.

77

Le docteur regarda Louis, allongé dans le lit, pâle comme un mort.

Était-il encore dans le coma ou dormait-il, simplement?

Il voulut quand même le vérifier.

Il n'était pas un assassin professionnel.

Abréger son coma était une chose.

Mettre fin à son sommeil en était une autre.

Il s'approcha. Souleva sa paupière gauche.

Examina son œil.

Coma, assurément.

La conclusion apaisa sa conscience.

Ou ce qui lui en restait.

Il entrouvrit sa trousse noire et prit la seringue, dont il planta l'aiguille dans le flacon de morphine.

Il y avait de grosses gouttes de sueur sur son front.

Mais, dans sa tête, la pensée merveilleuse du scanneur de trois millions.

78

Il y avait un policier en faction devant la chambre de Louis, un type entre deux âges, à l'air un peu idiot.

Pas le même que la première fois.

En tout cas, Gabrielle, qui arrivait tout essoufflée devant lui, ne le reconnut pas.

— Bonjour, ma sœur, je peux vous aider ? demanda-t-il avec une certaine surprise et un imperceptible mouvement de recul.

Car non seulement s'était-elle littéralement arrêtée sous son nez, mais, en outre, ce qu'elle pouvait être parfumée, pour une religieuse !

Et de surcroît elle avait ce petit chien dans les mains !

— Oh ! il est mignon, votre chien ! dit-il en tendant la main vers Juliette pour la caresser.

Juliette, peu sensible au charme de l'uniforme, jappa comme si elle voulait mordre cette main étrangère, plutôt épaisse et poilue à l'extrême : tout le contraire de la main exquise de sa maîtresse.

— Oh ! excusez-moi, je… fit le policier.

— Je suis venue voir Louis, le fils du maire, répliqua Gabrielle.

— Impossible, son médecin vient juste d'arriver, il a été formel. Aucune visite.

Son médecin !

Gabrielle songea tout de suite à l'horrible vision qu'elle avait eue plus tôt et dans laquelle il y avait justement un médecin !

Son don de divination ne l'avait pas trompée.

Pas une seconde à perdre ! pensa-t-elle. *Je dois trouver une astuce pour déjouer le gorille.*

— Vous pouvez me tenir Juliette un instant ?

— Juliette ?

— Oui, ma chienne.

Elle la lui tendit, sans attendre sa réponse, et expliqua :

— Je dois ajuster ma jarretelle.

— Votre jarretelle ? fit le policier.

Il était surpris, ravi pour mieux dire, et prit Juliette, impatient de voir Gabrielle ajuster sa jarretelle. Il croyait rêver.

La jeune femme se pencha aussitôt et, relevant sa tunique, découvrit ses jambes, question d'obtenir la pleine attention du policier. *Piece of cake !* Elle avait des jambes hallucinantes. Mais pas de jarretelles.

— Hein ? fit avec étonnement le policier, qui tenait Juliette.

Gabrielle ne fournit pas d'explication. À la place, en un geste rapide, elle arracha prestement de son étui l'arme du policier.

— Mais, ma sœur, qu'est-ce que vous faites ? demanda-t-il, complètement éberlué.

Ce qu'elle faisait ?

L'adorable petit yorkshire y alla de son explication et urina copieusement sur le policier, qui l'éloigna de lui, mais trop tard. Gabrielle la récupéra de la main gauche, en la félicitant :

— Bonne fille ! Maman est contente de toi !

Juliette redressa avec fierté les oreilles.

Gabrielle glissa l'arme dans sa poche puis ordonna, d'une voix qui ne tolérait pas la contradiction :

— On entre immédiatement dans la chambre. Si vous faites un faux geste ou dites quoi que ce soit au médecin, vous êtes un homme mort.

— D'accord, d'accord! dit-il en tentant d'apaiser de la main la surprenante jeune femme.

Il la croyait. Elle sourit intérieurement. Le policer entra, elle le suivit et, tout de suite, elle aperçut le docteur Blanchard, seringue en main.

79

Avait-il déjà injecté à Louis la dose fatale de morphine?
Il paraissait extrêmement ulcéré de voir le policier. Il l'avait
pourtant prévenu de ne le déranger sous aucun prétexte. En plus,
il était accompagné d'une religieuse qui tenait un stupide petit
chien dans sa main gauche.

— J'avais demandé de me laisser seul avec mon patient!
pesta-t-il.

— C'est que… commença à expliquer le policier, penaud.

Gabrielle avait compris tout de suite que c'était le médecin de
la vision, celui qu'elle avait vu faire son horrible troc avec le maire
de Saint-Jérôme, et un frisson lui parcourut tout le corps.

— C'est le maire de Saint-Jérôme qui m'envoie, docteur,
expliqua-t-elle avec fermeté et non sans astuce.

— Il vous envoie?

— Oui. Afin que je prie pour son fils.

Le médecin parut médusé, mais il n'insista pas. Il remit la
seringue dans sa mallette noire, reconnecta le fil à la bouteille de
soluté et sourit à Gabrielle, en tentant de dissimuler sa contrariété:

— Ma sœur…

Et il quitta immédiatement la chambre.

— Vous, intima Gabrielle au policier, vous allez prier dans la
salle de bain.

Il obtempéra. Avait-il vraiment le choix?

Aussitôt qu'elle fut seule, la jeune femme s'approcha de Louis et récita la même invocation que la première fois, ou à peu près :

— Mère t'aime. Elle t'aime même tellement qu'elle remplit d'amour l'espace que la maladie occupait dans ton corps. Maintenant ton corps entier est plein d'amour. Et je ne vois que la Lumière.

Il faut que Louis se réveille. Tout de suite.

Parce que le docteur va sûrement vérifier auprès du maire s'il m'a demandé de prier pour son fils !

80

La première chose que fit le docteur Blanchard, une fois de retour à son bureau, fut effectivement de téléphoner au maire.

Ce dernier était déjà en ligne.

Le docteur Blanchard maugréa : il détestait attendre.

81

« Mère t'aime. Elle t'aime même tellement qu'elle remplit d'amour l'espace que la maladie occupait dans ton corps. Maintenant ton corps entier est plein d'amour. Et je ne vois que la Lumière. »

Mais Louis demeurait parfaitement immobile.

— Mère, pardonnez-moi! implora Gabrielle en levant les yeux vers le plafond.

Et elle gifla énergiquement Louis sur les deux joues.

Il ouvrit aussitôt les yeux, des yeux qu'il avait très beaux, mais qui étaient brumeux, égarés.

Et cela ne dissipa pas sa confusion lorsqu'il vit, penché sur lui, le visage d'ange de Gabrielle.

Il ne la reconnaissait pas.

Il l'avait vue juste brièvement lorsqu'elle l'avait tiré une première fois du coma.

— Qui es-tu?

— Une amie de Jonathan. Lève-toi! Il faut partir d'ici.

— Hein?

Elle le tira par le bras :

— Allez, dépêche-toi! Il faut faire vite!

82

Dans la Jaguar, en route pour Montréal, Gabrielle et Louis souriaient d'aise.

Au poste de police, ce fut une simple formalité de faire libérer Jonathan.

Louis, qu'il était accusé d'avoir voulu tuer, était vivant et confirmait son innocence et son amour par des embrassades sans fin.

Et en plus, Louis déposait une plainte contre son propre père, pour tentative de meurtre contre sa personne.

Sur le trottoir, à la porte du poste de police, Jonathan et Louis pleuraient.

Et ils serrèrent tous les deux Gabrielle dans leurs bras : elle leur avait sauvé la vie.

Juliette, qui se sentait en reste, affichait un air vexé, tout au moins piteux.

Gabrielle le comprit.

Et la prit dans ses bras pour partager cette fraternelle embrassade.

83

Malgré cet exploit, Gabrielle se réveilla triste, le lendemain matin, et ce n'était pas parce que, la veille, elle avait été abandonnée par les deux amants, qui avaient voulu fêter leurs miraculeuses retrouvailles.

Gabrielle ne savait pas trop pourquoi elle avait le vague à l'âme.

Peut-être était-ce à cause de Francesco. Qui était mignon, quand même, la veille, avec sa rose dans sa main tremblante aux doigts troublants quand on savait de quoi ils étaient les secrets annonciateurs. Sa rose, après les deux autres qu'il avait envoyées anonymement.

Juliette sentit le désarroi de sa maîtresse et, le regard ému, la lécha longuement sur l'oreiller.

Mais cela ne suffit pas.

Au salon, Gabrielle n'eut guère le temps de se questionner au sujet de son inhabituelle tristesse.

Ce fut la folie furieuse.

La première cliente, qui ne venait pas ce jour-là pour une coupe de cheveux, ce fut Laurence Lemieux.

C'était, on s'en souviendra, la cliente éplorée à qui Gabrielle avait suggéré de faire comme si. Comme si son mari fugitif lui revenait.

Or, la veille, après quelques jours à peine de «traitement métaphysique» ou de bonnes doses de «loi d'attraction», nom nouveau d'un remède vieux comme le monde, il lui était revenu, repentant et, surtout, plus épris que jamais.

Malgré la jeunesse de sa rivale.

— Il veut même qu'on refasse notre voyage de noces ! se vanta-t-elle, extatique, à Gabrielle. Et vous savez où ?

— À Vegas ? tenta la jeune coiffeuse, qui pensait naturellement à la proposition de Francesco qu'elle avait déclinée, et c'était peut-être une erreur.

— Non, pas à Vegas, dit la cliente avec mépris, presque comme s'il s'agissait d'un obscur village, à Venise !

— Bravo ! s'exclama Gabrielle, qui n'y avait jamais mis les pieds, mais comprenait le ravissement de madame Lemieux.

Madame Lemieux qui, même si elle n'avait pas vingt ans (comme sa rivale finalement écartée), était une fiévreuse adepte des réseaux sociaux et avait plus de trois mille amis sur Facebook, à qui elle n'avait pas manqué de claironner sa réconciliation. Ni ce qui ou plutôt celle qui en avait été le miraculeux instrument : Gabrielle, la petite coiffeuse de Michel Ange.

Toute la journée, des clientes affluèrent au salon et, comme si elles s'étaient donné le mot, montrèrent du doigt la statue de la Vierge, devant la chaise de Gabrielle.

Fin renard, véritable Barnum de la coiffure, Carlo flaira là une affaire.

Précisément l'affaire dont il avait besoin pour relancer le salon plutôt que de devoir fermer ses portes.

Et, le lendemain, il avait embauché cinq autres coiffeuses, dont Nina, qui avait accepté de bon gré de revenir.

Devant la chaise de chaque coiffeuse (sauf celles de Josette, qui avait déjà sa clientèle fidèle, et de Paul, qui ne pouvait quand même pas passer pour la petite nouvelle coiffeuse du salon !), Carlo plaça une statuette de la Vierge.

Dans son pragmatisme — ou sa rouerie ! —, il se disait : une prédiction en vaut bien une autre, peu importe par quelles lèvres elle est prononcée. Et il donna aux nouvelles coiffeuses l'instruction formelle de dire à chaque cliente, de préférence en baissant le ton pour rendre plus mystérieuses leurs prédictions, ce que tout le monde veut entendre : elle recevrait sous peu une somme d'argent aussi inattendue qu'importante, elle ferait une rencontre, amoureuse bien entendu, un voyage fabuleux, et deviendrait soudain célèbre.

Carlo avait été clair avec les nouvelles coiffeuses, surtout celles qui, de prime abord, se hérissaient devant pareilles exigences : c'était ça ou pas d'emploi !

Comme se cachent en chaque être un dispensateur de conseils et un sage frustré, comme la plupart des coiffeuses sont déjà des psychologues inavouées, Carlo ne rencontra guère de résistances. Plusieurs coiffeuses étaient déjà vaguement croyantes et au demeurant ne protestèrent pas trop de devoir travailler sous la vigilance d'une statuette de la Vierge. Certaines, il faut le préciser, se cherchaient un emploi depuis des mois. Cela fait toujours plier la conscience. Carlo avait du magnétisme, de surcroît. Certaines candidates tombèrent sous son charme. Pensèrent qu'un jour elles deviendraient peut-être gérante du salon.

Gabrielle aurait pu prendre ombrage de cette tromperie. Après tout, il y avait là usurpation d'identité. On profitait de sa célébrité, on lui piquait des clients !

Mais elle se souciait de sa popularité comme d'une guigne. Il aurait fallu, pour qu'elle s'offusque de la ruse de Carlo, qu'elle eût un ego : or elle n'en avait pour ainsi dire pas. Aussi ne le soignait-elle pas et n'en craignait-elle pas les flétrissures. À la vérité, elle applaudissait devant la prolifération inattendue de statuettes de la Sainte Vierge dans le salon, car elle était certaine que, du haut du ciel, Mère s'en réjouissait.

Les clientes n'y virent que du feu, pour la plupart.

Chacune semblait heureuse de repartir avec sa prédiction, même si cette prédiction était parfois un peu embarrassée. Ou pas très inspirée. Et était presque un copier-coller de la prédiction de la voisine.

Le surlendemain de son sauvetage miraculeux de Louis, Carlo, ravi du succès du salon, vint remercier Gabrielle, à la fin de la journée, et lui offrit même, par reconnaissance infinie, une augmentation d'un dollar l'heure. Devant Josette, qui n'en revenait tout simplement pas de sa pingrerie.

Comment pouvait-elle être assez stupide pour aimer pareil homme !

Gabrielle dit :

— Merci, c'est vraiment gentil !

Carlo sourit sans comprendre que, pour elle, ça ne voulait rien dire un dollar de plus, un dollar de moins.

Lorsque Carlo, fier de son coup, se fut éloigné, Josette dit à Gabrielle, qui avait l'air triste malgré l'« augmentation » :

— Tu penses encore à Francesco, hein ?

— Oui.

Et la jeune coiffeuse se mit à pleurer.

84

Gabrielle arriva à la boulangerie vers dix-huit heures dix, au moment même où Angela prenait Francesco par le cou et l'embrassait, à son étonnement et sans qu'il n'ait le temps de la repousser.

Le père du beau boulanger, ému par ce spectacle qu'il attendait depuis des jours, souriait, ravi.

Enfin son fils comprenait le bon sens. Ils étaient beaux à voir ensemble, d'ailleurs, les tourtereaux, et lui, son affaire était sauvée. Il éviterait une honteuse faillite dont il ne se serait sans doute jamais relevé, surtout à son âge.

Cette familiarité et ce baiser tirèrent une larme de l'œil unique de Louisette : Francesco semblait céder à cette fille à papa contre laquelle elle n'avait évidemment aucune chance.

Pour Gabrielle, ce fut pire qu'un coup de poignard. C'était comme si le ciel venait de lui tomber sur la tête.

Elle retira la bague que lui avait offerte le beau boulanger et la jeta avec violence sur le miroir mural, derrière la caisse.

Le miroir vola en éclats, ce qui créa naturellement toute une surprise dans la boulangerie, car on aurait dit un acte de Dieu alors que ce n'était que la douleur de sa petite coiffeuse.

Francesco vit Gabrielle, comprit qu'elle l'avait surpris, que le malentendu était sûrement horrible pour elle, et s'écria :

— Gabrielle ! Attends ! Ce n'est pas ce que tu penses !

Mais la jeune femme sortit en trombe de la boulangerie.

— Tu vas me le payer! menaça Angela. Quand je vais dire ça à mon père!

À ces mots, le père de Francesco éprouva immédiatement une terrible douleur à la poitrine et porta la main à son cœur.

— Papa! Qu'est-ce que tu as? cria Francesco, qui devinait ce qui était en train de se passer.

À l'urgence, où le père de Francesco fut transporté, le médecin diagnostiqua un infarctus léger, lui prescrivit une diète sans gras, du repos. Et le moins de contrariétés possible.

Francesco comprit qu'il devait se sacrifier.

De toute manière, il avait perdu Gabrielle.

C'était peut-être mieux au fond.

Persister à l'aimer aurait été simple égoïsme de sa part.

Il portait malheur aux femmes.

Mieux valait épouser Angela et devenir un bon mari.

À la boulangerie, Louisette balayait les éclats du miroir, qui lui était une souffrance, vu l'ingratitude de son visage.

85

Même si ce serait un mariage italien et que ça risquait de faire croire que, comme on dit, Angela se mariait «obligée», donc était déjà enceinte, la date de la cérémonie fut arrêtée hâtivement pour le dernier samedi d'août, et les faire-part expédiés en moins de deux.

Francesco, qui aimait toujours follement Gabrielle et voulait curieusement lui rester fidèle même s'il était fiancé à Angela, convainquit cette dernière de reporter à leur nuit de noces leurs premiers ébats amoureux.

Elle n'était pas vierge, et lui non plus, mais bon, elle respecta ce curieux caprice, certaine que, de toute manière, avec le corps qu'il avait et sa discipline spartiate, l'irrésistible boulanger serait toute une affaire au lit, et ils auraient de beaux enfants.

86

Le lendemain, en une sorte de consolation céleste de ce terrible chagrin, une petite fille vint porter à Gabrielle, chez Michel Ange, une immense gerbe de roses blanches.

La jeune coiffeuse, qui avait pleuré toute la nuit malgré les tentatives de Juliette de la consoler, pensa tout naturellement que c'était un nouveau truc de Francesco pour se faire pardonner d'avoir déjà embrassé une autre femme, probablement cette Angela dont il lui avait parlé alors qu'il était supposé être follement amoureux d'elle.

Quel fieffé menteur il était!

Sur le coup, elle n'avait pas reconnu la charmante messagère, à qui elle avait pourtant rendu visite quelques jours plus tôt.

C'était la rouquine Amélie qui, comme par miracle, était tout à fait guérie de sa terrible maladie.

— C'est pour vous! dit la fillette en remettant la gerbe de roses blanches à Gabrielle.

— C'est gentil, mais pourquoi? demanda la belle coiffeuse.

— Parce que vous m'avez guérie de ma leucémie lymphoblastique!

À nouveau, elle utilisait le mot savant et étonnant pour une enfant de son âge.

— Les médecins ne le croient pas, poursuivit-elle.

Sa mère, Armande Villefranche, qui attendait à la porte du salon parce qu'elle trouvait que c'était la petite mise en scène qu'il fallait, fit alors son entrée et, les larmes aux yeux, alla trouver Gabrielle.

— Je vous dois tout, je vous dois tout, vous avez sauvé ma fille, l'amour de ma vie! proclama-t-elle, les larmes aux yeux. C'est un miracle! Vous avez fait un miracle. Ma fille était condamnée. Et maintenant, elle n'a plus aucune trace de cancer dans son sang.

Elle se mit à lui embrasser les mains puis la serra longuement dans ses bras.

La jeune coiffeuse, que ce témoignage embarrassait plus qu'autre chose, objecta:

— C'est la Sainte Vierge qui a tout fait. Pas moi!

Protestation inutile.

Dans le salon, tout le monde était ému. Josette pleurait à chaudes larmes en regardant alternativement la petite Amélie et le portrait de ses jumelles et en pensant sans doute à sa joie, à sa reconnaissance si Gabrielle les avait arrachées aux terribles griffes du cancer. Paul, avec une moue ravie, se disait que la jeune Gabrielle était vraiment un être d'exception malgré sa naïveté infinie. Même Carlo, en général plutôt froid, éprouvait une émotion.

Des clientes, de nouvelles coiffeuses versaient des larmes.

Et Gabrielle pensa que sœur Thérèse avait raison: elle devait se méfier de l'amour, qui lui avait juste brisé le cœur.

Comme il l'avait brisé à petite mère, ce dont cette dernière ne s'était jamais vraiment remise: telle «mère», telle fille.

Oui, à la place, pensa Gabrielle, mieux valait se consacrer exclusivement à sa mission.

Qui était d'aider ses clientes à trouver un sens à leur vie, un baume à leur malheur.

Et parfois, avec l'aide miraculeuse de Mère, un remède inespéré à leur maladie ou à celle de leurs proches.

Comme pour la petite Amélie.

Qui fit rire tout le monde lorsqu'elle répondit à son cellulaire et manifesta le désir de sortir sur le trottoir pour parler à son interlocuteur, dont elle révéla l'identité en levant les yeux au ciel avec son exaspération coutumière :

— C'est Enrico, mon dépendant affectif fini! Il m'a laissé dix messages depuis que je suis sortie de l'hôpital!

87

À midi pile, Jean Lacroix vint chercher Josette pour luncher.

Josette qui avait fini par craquer, avec le cadeau princier et inattendu des bicyclettes.

Il conduisait sa Porsche, que, comme à son habitude, il gara juste devant le salon, même si c'était interdit.

Cela contraria une fois de plus Carlo.

La licence cavalière.

Et le modèle de la voiture, bien sûr.

Peut-être parce que, lui, n'avait jamais pu conduire une Porsche, et surtout pas une 911, même aux heures les plus glorieuses du salon.

Josette nota son agacement et sourit intérieurement.

Elle le laissait peut-être moins indifférent qu'elle n'avait cru. Ou alors il l'avait toujours aimée sans avoir jamais rien fait, et maintenant il sentait que la soupe était chaude. Va savoir avec les hommes!

Pendant que Josette lunchait avec son rival (?), Carlo vit son comptable et lui demanda à brûle-pourpoint, au lieu de parler chiffres et bilan à sa manière habituelle:

— Est-ce que c'est amusant, d'être marié?

— Si tu survis aux dix premières années, et aux dix suivantes, qui en général sont encore plus difficiles, oui, c'est vraiment génial.

Carlo éclata de rire. Puis insista :

— Non, sérieusement.

Ils se trouvaient dans son petit bureau où Charles Delarge lui avait montré de très jolis chiffres, mais, contre toute attente, Carlo s'en moquait un peu.

— Une nouvelle amourette ?

— Non.

— Alexandra qui t'a posé un ultimatum ?

— Non, je lui ai donné son « quatre pour cent ».

— Je ne l'ai pas vu passer dans le relevé bancaire du dernier mois, plaisanta le comptable.

— Non.

— Dans ce cas, c'est plus grave. C'est Josette.

— Comment l'as-tu deviné ?

Le comptable se contenta de sourire. Agacé, Carlo insista :

— Alors le mariage, c'est bien ou pas ?

Après une pause réflexive, le comptable admit :

— Quand j'étais jeune, je… comment dire, j'en voulais à Dieu parce que je n'étais pas né beau, que j'étais petit, et en plus, sans le savoir, j'allais devenir chauve à trente-cinq ans. Mais maintenant je remercie le Ciel, parce que si je n'avais pas eu ce visage et si j'avais eu plus de cheveux (il passa la main sur son crâne presque chauve), j'aurais peut-être été tenté, comme tout le monde de ma génération, de faire le joli cœur. Et alors j'aurais probablement perdu la femme de ma vie, la femme avec qui je suis depuis plus de vingt ans et dont je ne changerais pas pour tout l'or du monde.

Carlo le regarda, songeur.

— Mais si tout l'or du monde t'était apporté sur un plateau d'argent et que, ce plateau, c'est Angelina Jolie qui te l'apportait et que tu pouvais la prendre avec, tu ferais quoi ?

— Je prendrais l'or et je renverrais Angelina à Brad ou à ses amants, et je ferais le tour du monde avec ma femme.

— Je t'envie d'avoir pu aimer la même femme si longtemps. Moi, je...

— Mais toi aussi, tu aimes la même femme depuis longtemps.

Un peu déstabilisé, Carlo prit un peu de temps pour objecter :

— Elle a deux enfants.

— Adorables.

— Et elle a trente-neuf ans.

— Oh ! c'est monstrueux ! Surtout pour un homme comme toi qui a deux ans de plus qu'elle.

— Très drôle.

— Écoute, c'est ta vie, mon vieux. Tu fais ce que tu veux avec. À la fin de la journée, de toute manière, c'est toi qui dresses ton vrai bilan, pas moi. Est-ce qu'il y a plus de chiffres dans la colonne du bonheur que dans celle du malheur ? C'est toi, juste toi, qui le sais.

— Je te paie pour être mon comptable ou mon psychiatre ?

— Ton comptable ! Alors voici ma facture pour le mois dernier !

Et il la lui remit puis quitta son bureau. Carlo grimaça. Son comptable l'avait pris au mot !

Il pensa : *Il a raison. C'est ma vie. Mais je n'ai pas de vie, juste un semblant. Et avec Josette, il me semble que ce serait différent, que j'aurais une chance d'avoir enfin une vie. Une vraie vie.*

Si je n'agis pas tout de suite, je vais la perdre à tout jamais aux mains de ce con qui conduit une Porsche, se prend pour un autre et est en train de me prendre ma femme !

88

Lorsque sa «femme» rentra de son lunch avec Jean Lacroix, elle était radieuse, ce qui irrita encore plus Carlo.

— Est-ce que je peux te parler? demanda-t-il à la rouquine.

Elle consulta tout de suite sa jolie montre-bracelet, un autre cadeau de Jean Lacroix, acheté chez Birks: il soignait sa cour.

— Ben quoi? Je ne suis pas en retard.

— Ce n'est pas à ce sujet. Passons à mon bureau.

— Bon, fit-elle non sans une certaine surprise.

Dans le bureau, il lui demanda de s'asseoir. Elle le trouva bien formel. Une ride plissa son front. Elle pensa: *Veut-il me congédier? Mais pourquoi? Le salon n'a jamais aussi bien été.*

Elle n'y était pas depuis le début, mais quand même, toutes les chaises étaient employées, alors que pouvait-il demander d'autre?

Ce qu'il voulait savoir, il le lui demanda, et ce fut une surprise pour Josette:

— Est-ce que c'est sérieux, le type de la Porsche et toi?

— Sérieux? Qu'est-ce que tu veux dire?

— Ben, est-ce que vous…

— Est-ce qu'on quoi? demanda-t-elle non sans une certaine irritation. Est-ce qu'on couche ensemble comme tu couches avec tes petites nénettes de vingt ans? C'est ça que tu veux savoir?

— Je…

— Parce que, honnêtement, l'interrompit-elle, je ne vois vraiment pas en quoi ça te dérange et surtout ce que ça peut avoir à faire avec mon travail. Je suis une bonne employée, non? Je suis toujours à l'heure. J'ai une clientèle fidèle.

— Je sais… je… et c'est justement.

— C'est justement quoi?

— Je me demandais si ça t'intéresserait de devenir gérante.

— Gérante?

— Oui. Du salon.

— Mais oui, je… Pourquoi pas?

— On pourrait en discuter ce soir.

— Ce soir?

— Oui. Chez moi. Je te cuisinerais des fettucines Alfredo.

— Pas plutôt des fettucines Carlo?

Elle ne lui laissait guère de chance. Il grimaça. Revint à la charge.

— Est-ce que c'est sérieux, le type à la Porsche et toi?

— Pourquoi me demandes-tu ça à nouveau? Tu penses que comme il est millionnaire, si je lui dis oui pour le mariage, je vais quitter le salon et je ne pourrai pas devenir ta gérante, et ça te fait un gros chagrin?

— Je… il t'a demandé en mariage?

— Ben pourquoi tu penses qu'il a acheté deux bicyclettes à mes filles qu'il n'a jamais rencontrées? Parce qu'il veut aller en randonnée avec elles sur le mont Royal?

Elle se leva, lassée des questions de Carlo. Et de ses hésitations.

Il finirait quand de tourner autour du pot, typical man?

— Est-ce que je t'attends ce soir pour les fettucines?

Elle hésita puis demanda:

— Tu préfères le bordeaux ou un beaujolais?

— Ce que tu voudras.

Elle sortit du bureau avec un sourire aux lèvres.

Elle apporta chez Carlo un petit Brouilly, bien léger comme son cœur.

Car elle avait l'impression que la prédiction de Gabrielle se réaliserait.

Après le premier verre à peine, Carlo — vite en affaires après avoir été lent pendant une éternité! — voulut l'embrasser.

— Qu'est-ce que tu fais? demanda-t-elle. *Don't fuck with the payroll*, t'as jamais entendu ça?

— Je crois que...

— Que quoi?

Il était incapable de dire quoi.

— Pourquoi tu t'intéresses à moi soudainement? Parce que Jean m'a demandée en mariage?

— Oui! avoua-t-il platement, contre toute attente.

— C'est bref, mais ça a le mérite d'être franc comme réponse. Alors, donne-moi trois bonnes raisons pour lesquelles je devrais lui dire non.

— Euh... je...

Elle posa son verre, se leva, lui donna une petite tape sur la joue:

— Je t'envoie un faire-part pour mon mariage avec le type à la Porsche, comme tu dis.

— Attends, je... je pense que je...

— Je suis une vieille. En comparaison d'Alexandra. Et de ta prochaine conquête.

— Non, je...

— Tu quoi?

— Je pense que je t'aime.

Les larmes montèrent aux yeux de Josette. Mais elle détourna la tête. Elle ne voulait pas qu'il voie l'émoi que lui causait la réalisation de ce souhait si ancien. Elle se regroupa, se retourna vers Carlo et, le toisant, lui dit, provocante:

— Prouve-le-moi!

Il le lui prouva.

Séance tenante.

Deux fois.

La deuxième étant mieux que la première.

Ce qui était une bonne chose pour elle.

Comblée, Josette sauta pourtant du lit et décréta :

— Je me marie quand même au mois de septembre.

— Avec le type à la Porsche ? fit-il avec ahurissement, car il croyait qu'elle était devenue sienne, sa « chose », sa possession, sa certitude, vu ses exploits amoureux.

— J'ai juste dit que je me mariais au mois de septembre. Avec toi de préférence. Ou avec lui. Bonne nuit, mon chéri !

Et elle partit.

Le lendemain, il lui demandait sa main, à genoux, en lui offrant une bague qui lui avait coûté un prix fou.

Avant de dire oui pour la bague, elle lui demanda, pratique, et de crainte qu'il ne se défilât, une date pour le mariage.

Il proposa le 15 décembre.

Elle insista pour le 15 septembre.

Ce que femme veut, Carlo le voulut.

Pour une fois.

Une semaine plus tard, les faire-part étaient imprimés.

Carlo en apporta des exemplaires au salon, tout frais sortis de chez l'imprimeur, en remit un à Paul, et le montra tout naturellement à Josette.

Qui le montra fièrement à Gabrielle en déclarant :

— Finalement, c'était vrai, la parabole du machin truc…

— Du semeur !

— Oui, c'est ça. Le semeur. Un bon bougre, au fond ! Et comme la Sainte Vierge a dit : « Le temps des épines achève pour moi. » Je me marie le mois prochain !

Et elle serra Gabrielle dans ses bras, cependant que Paul, qui avait tout entendu, murmura, comme malgré lui, un peu cynique ou lucide sur les bords : « Les bonnes femmes, ce qu'elles prêtent des vertus au mariage ! »

L'embrassade de Josette et Gabrielle, ce fut le postier qui la rompit malgré lui.

Il apportait du courrier, forcément.

Dont une lettre pour Josette.

Une lettre dans une enveloppe en papier vélin, ça faisait bien, même pour ceux qui ne savaient pas ce que c'était, du vélin. Et combien au juste ça coûtait.

— Ah ! non ! fit Josette à haute voix. Je pensais que Jean avait compris.

Elle avait rompu en insistant pour lui rendre les bicyclettes des jumelles et tous les cadeaux dont il l'avait couverte, comme la belle montre en or de chez Birks. Élégant, il avait refusé, même si la rupture l'avait blessé. Il faut dire que, pragmatique comme bien des hommes d'affaires, et même un peu plus, il avait continué, même dans ses élans les plus romantiques, de voir en cachette d'autres femmes, dont une jeune actrice en mal de protecteur (riche, forcément) dans les bras de laquelle il épancha son chagrin.

Mais la lettre n'était pas de Jean Lacroix.

Josette le vit bien.

Gabrielle aussi, qui, sa curiosité piquée au plus haut point, se pencha en même temps que Josette sur la lettre.

Qui était un faire-part.

Francesco et Angela se mariaient !

Gabrielle se sentit mal tout à coup et elle pensa : *le grand amour me rend malade comme sœur Eugénie qui a eu le coup de foudre pour l'homme blond au manteau noir !*

— Ah ! c'est bien, se contenta-t-elle de dire.

Même si ça lui faisait mal, infiniment.

Comme si on lui arrachait le cœur.

Mais elle avait cette noblesse d'âme, extrêmement rare, de ne pas imposer aux autres sa détresse.

Et peut-être aussi avait-elle un peu d'orgueil, car aucune femme n'aime claironner qu'un homme qu'elle connaît depuis quelques jours à peine est parti avec son cœur après une partie de quilles, parfaite ou pas.

Un dîner au Ritz, avec des hot dogs du Montreal Pool Room et du champagne.

Quelques pas de danse, magiques, il est vrai.

Et une seule nuit, inoubliable.

Surtout quand c'est la première fois avec un homme.

Et pourtant, au bout de quelques secondes, Gabrielle avoua à Josette :

— Je ne me sens pas bien.

Et elle courut pour aller vomir en cachette dans les toilettes du salon.

89

La veille de son mariage, Francesco, encore récalcitrant à l'idée d'épouser Angela, voulut s'occuper de *business as usual.*

Voulut faire comme si c'était une journée ordinaire, même si, le lendemain, sa vie ne serait jamais plus la même.

Il se leva tôt, pétrit amoureusement son pain, qu'il décora des mots qu'il prisait tant : *Amour, Dieu, Donne, Pardonne, Rêve,* etc. et partit vaillamment les distribuer, place Émilie-Gamelin, à sa clientèle habituelle.

Quand sa besace fut vide (presque autant que son cœur en ces jours inattendus de grande noirceur amoureuse !) ne restèrent plus, pour l'écouter, que ses clients les plus fidèles, ses éternels « abonnés », comme on disait joliment en vieux français : l'ingénieur déchu, la femme sans dents qui avait perdu son seul enfant et le punk abondamment tatoué.

Comme, aux yeux de Francesco, ne suffisaient pas les nourritures terrestres, il leur offrit aussi, qu'il récita par cœur, un passage fameux du *Nouveau Testament.* Il le déclama d'une voix que son secret désespoir rendait encore plus belle :

— Demandez, on vous donnera ; cherchez, vous trouverez ; frappez, on vous ouvrira. Qui d'entre vous, si son fils lui demande du pain (ses trois « abonnés » regardèrent spontanément le pain que Francesco venait de leur remettre), lui donnera une pierre ? Ou s'il demande un poisson, lui donnera-t-il un serpent ?

À cette évocation reptilienne, les mendiants jetèrent des regards effarés à leurs pieds, car Francesco parlait avec tant d'éloquence que tout paraissait vivre par ses lèvres, même un serpent : n'y en avait-il pas un qui s'était sournoisement faufilé entre leurs pieds meurtris et sales ?

— Si donc, reprenait ce saint François d'Assise moderne, vous, qui êtes mauvais, savez donner de bonnes choses à vos enfants, combien plus votre Père qui est aux cieux donnera-t-il de bonnes choses à ceux qui le lui demandent.

Enfin il se tut. Les trois mendiants, qui avaient écouté religieusement, semblaient perplexes. Car après tout, c'était leur ordinaire de demander du pain et d'en recevoir, et donc « demandez et vous recevrez », ça avait toujours marché, ou à peu près, pour eux, en tout cas avec le beau et bon Francesco.

Alors c'était quoi, l'idée de ce sermon ?

Ils attendaient l'explication.

Mais leur philosophe matinal n'ajoutait rien.

À la place, il avait détourné la tête, par pudeur, par égard pour ceux qu'il consolait quotidiennement : il sanglotait.

Oui, il pleurait, incapable de retenir ses larmes en cette veille de drame.

Cela créa un étonnement chez les trois mendiants.

C'est toujours surprenant de voir pleurer quelqu'un qui nous a toujours consolé et qu'on suppose forcément fort — et à l'abri du chagrin.

La femme édentée ne se posa pas trop de questions.

Car elle comprenait.

Il lui suffisait de voir les larmes de Francesco, qui étaient comme une lettre envoyée en cent copies à l'univers.

Elle s'approcha de lui et, sans solliciter nulle autorisation, le serra dans ses bras.

Il se laissa faire.

Comme si c'était de ça, juste de ça, qu'il avait besoin en ce moment précis de sa vie, de son destin.

L'embrassade d'une mendiante, qui était édentée et avait perdu son seul enfant, douloureuse énigme de sa vie.

Inspiré par son exemple, le punk s'approcha, serra Francesco dans ses bras.

L'ingénieur, qui lui aussi s'était approché, mais le dernier, eut envie de poser une question.

Car il aimait les réponses et détestait ne pas comprendre, par un reliquat de déformation professionnelle, même s'il y avait des lunes qu'il n'exerçait plus son métier.

Mais à la fin il préféra se taire, édifié par la simplicité émouvante du tableau devant lui.

Pourtant, son esprit logique ne s'apaisait pas : pourquoi Francesco, toujours si maître de ses sentiments, pleurait-il ainsi, à peine passée « l'Aurore aux doigts de rose », pourtant magnifique ?

La réponse, que l'ingénieur n'eut pas, était simple : Francesco pleurait parce que, depuis des jours, il demandait à Dieu un miracle.

Un miracle ou, simplement, un changement de sentiment.

Pas de sa part, car il savait bien qu'il aimerait Gabrielle jusqu'à sa mort.

Mais de la part d'Angela, sa future femme, qui, peut-être, à la dernière minute, réaliserait que son futur mari ne l'aimait pas et ne l'aimerait jamais : il se sacrifiait simplement pour son père.

Mais Angela n'avait pas changé d'idée.

Le mariage aurait lieu.

Le miracle n'arrivait pas.

Pourtant le soir, en fait fort tard dans la nuit, Francesco, qui croyait en Dieu plus que jamais, pria encore.

Et alors quelque chose d'infiniment mystérieux se produisit sur la main gauche de Francesco, déjà blessée, mais presque guérie.

Lorsqu'il s'en rendit compte, à son réveil, le matin de son mariage, ses yeux exprimèrent la stupeur la plus profonde.

Et il ne trouva d'autre expédient, pour éviter les questions inévitables des invités — et surtout de sa future femme, si à cheval sur les principes et obsédée par l'étiquette —, que de porter un gant.

90

Le gant, unique, comme celui de *the gloved one* Michael Jackson, intrigua tout le monde lorsque Francesco arriva à la cathédrale Notre-Dame pour la cérémonie du mariage.

Il intrigua assurément son père, à peine remis de son infarctus léger.

Angela, que son père, sexagénaire élégant, avait selon la tradition escortée jusqu'à l'autel, demanda à son futur époux, agacée :

— Où as-tu mis l'autre gant ?

— L'autre gant ?

— D'ailleurs, décréta-t-elle, on ne porte pas de gants quand on se marie !

— Tu me l'apprends, ma chérie, je ne me suis jamais marié, répliqua Francesco en une plaisanterie qui ne fit pas rire la future mariée, loin de là.

Elle s'attendait à un tout autre accueil, à un éblouissement de son futur mari ou, au moins, à quelques compliments pour sa robe, sa coiffure, ses bijoux.

Mais elle ne s'ouvrit pas de sa frustration de vanité : arrivée là, à l'autel, elle ne serait pas trop regardante. Elle avait ce qu'elle voulait. Ce qu'elle voulait depuis des lunes : le beau Francesco, qui faisait rêver, qui faisait saliver toutes les femmes.

Elle l'avait à elle.

Toute seule.

Pour la vie.

Du moins le croyait-elle, avec son assurance de fille de riche. Car pour elle les apparences étaient tout, et l'essentiel toujours visible pour les yeux, n'en déplût au renard du *Petit Prince* avec ses illusoires prétentions !

Oui, Angela avait espéré un autre accueil, vu ses heures, que dis-je, ses jours de préparation nuptiale.

Il faut préciser qu'elle était vraiment magnifique dans sa robe blanche à longue traîne, qui révélait autant son dos que sa poitrine opulente.

Mais le boulanger n'avait rien vu, ou rien voulu voir, pas plus qu'il n'avait remarqué ses cheveux, alors que, le matin, elle avait abandonné sa tête plus d'une heure à Josette, qui d'ailleurs s'était littéralement surpassée en réussissant de magnifiques entrelacs, qui semblaient tissés dans son diadème.

Néanmoins Angela, qui se targuait d'être psychologue (défaut de bien des amoureux à sens unique !), s'expliqua cette froideur par la nervosité de son fiancé.

Après tout, leurs fréquentations avaient été plutôt brèves, et, de surcroît, Francesco, qui avait passé près de perdre son père, en restait ébranlé.

Pourtant, Angela, curieuse comme toute femme, surtout toute femme qui va se marier, insista :

— Tu ne m'as toujours pas dit pourquoi tu portes ce gant, mon chéri.

— Je me suis blessé à la main.

— Encore ? s'exclama-t-elle avec exaspération en faisant allusion à la blessure subie lorsqu'il avait secouru Gabrielle, pas la joie pour elle, car elle savait bien que c'était sa rivale : il y a des choses que les femmes savent sans avoir à les demander.

Et d'autres qu'elles ne voient pas, même lorsqu'on les leur montre du doigt.

— Oui. Encore ! admit-il. Ce n'est rien.

— Alors si ce n'est rien, pourquoi tu portes un gant ?

— Ah ! tu m'agaces à la fin, dit Francesco dans un mouvement d'humeur dont la vivacité était grande en pareille circonstance et dont lui-même se surprit, vu son habituelle égalité d'humeur.

Mais, égale à elle-même dans sa confiance absolue en son pouvoir de séduction, Angela mit cet excès sur le compte de la nervosité de son mari.

Quand Francesco avait défilé dans l'allée qui conduisait à l'autel, pour y attendre sa fiancée, il y avait eu plusieurs questions dans l'assistance au sujet de sa singularité vestimentaire.

Mais Francesco avait toujours été un original : alors une excentricité de plus ou de moins ! En plus, il était beau à croquer.

Et plusieurs femmes sans doute le croquaient-elles déjà dans leur tête.

Comme plusieurs clientes de la boulangerie.

Comme Louisette aussi, bien sûr, qui aurait été belle dans sa robe neuve si elle n'avait pas été horriblement laide. Mais elle était touchante, à la fin, avec cet œil unique qui semblait à chaque seconde sur le point de pleurer.

Car là, c'était vrai, son beau patron se mariait !

Quant aux trois mendiants qui restaient toujours pour les discours du moine citadin après la distribution de pain, ils ne se formalisaient pas de ce gant unique, tout à la joie de pouvoir bientôt manger et boire à leur faim à la réception où ils avaient été invités. Ils ignoraient qu'Angela avait d'abord poussé les hauts cris en les voyant figurer sur la liste des invités. Elle avait cédé à la fin : trois pique-assiette de plus ou de moins !

Ils avaient du reste effectué, sans même que Francesco leur en suggère l'embarrassante idée, un petit effort vestimentaire, dans la modeste mesure de leurs moyens.

Mais cela se voyait quand même, bien sûr, qu'ils n'appartenaient pas au même monde que le reste des invités, loin de là.

— C'est bizarre, remarqua Josette en donnant un coup de coude à Carlo, Francesco porte un seul gant!

Carlo souleva les épaules de son élégant smoking:

— Il a toujours été un peu excentrique.

— Comment trouves-tu les cheveux d'Angela?

— Bruns.

— Très drôle. Franchement, ils sont magnifiques ou quoi?

— Comme l'artiste qui les a coiffés!

— Tu veux qu'on te demande en mariage, toi!

— Désolé. Je suis déjà pris. Par la femme de ma vie.

Josette sourit à Carlo.

Et elle pensa que c'était merveilleux, magique même, après tant de temps et de déceptions et de désolantes nymphettes avant elle: l'homme de sa vie deviendrait son mari!

Ce devait être la loi de l'attraction qu'elle avait découverte dans *Le Secret*, et enfin comprise dans une conférence de Christine Michaud, son auteure préférée.

91

Francesco chercha d'abord la bague de sa fiancée dans la poche droite de sa veste, où il était convaincu de l'avoir mise.

Puis, avec un embarras croissant, dans sa poche gauche.

Mais elle ne s'y trouvait pas davantage!

Il esquissa un sourire niais, tandis qu'Angela, qui feignait de prendre la chose à la légère, tentait, elle aussi, de sourire, se tournait vers les invités pour offrir des mines faussement insouciantes, des haussements d'épaules amusés.

Il y eut aussi un peu d'embarras dans la salle.

Mais enfin Francesco fouilla sa pochette et y trouva l'objet qui avait fini par lui mettre de la sueur au front.

La foule l'applaudit spontanément comme s'il venait de réaliser un grand exploit.

Il faut dire qu'il avait exhibé la bague bien haut, en se tournant vers la salle, un large sourire aux lèvres.

Qu'il perdit bientôt lorsqu'il aperçut une invitée qui arrivait en retard et que personne ne semblait connaître, ou en tout cas reconnaître.

Tout à coup, il semblait être l'homme le plus malheureux du monde.

92

Si la mariée était en blanc, cette invitée retardataire était en noir : cheveux, lunettes fumées, robe.

Plutôt courte.

Qui révélait des jambes longues et athlétiques à l'imperceptible duvet blond, une merveille.

Qui fit tourner bien des têtes, surtout masculines, mais aussi féminines, jalouses de cette splendeur insolente.

Et curieuses de cet accoutrement : elle se croyait dans un enterrement ou quoi, la retardataire ?

Josette, qui s'était tournée vers la spectaculaire jeune femme, fouilla sa mémoire.

Car il lui semblait que la magnifique jeune femme, qui accusait à peine vingt ans, avait un air familier.

Ce teint éclatant, et d'ailleurs encore plus lumineux dans le sombre encadrement des cheveux, ce nez fin, très droit, cette bouche parfaitement dessinée malgré l'absence de rouge, elle avait l'impression de les avoir déjà vus quelque part.

Enfin elle la reconnut et donna un coup de coude dans les côtes de Carlo, qui ne s'était pas tourné vers la mystérieuse jeune femme.

— C'est Gabrielle !

— Hein ? Gabrielle ?

Il se tourna vers la coiffeuse.

— Tu es sûre?

— Ben oui, elle s'est teinte en noir.

— Tu as raison. Mais elle est folle ou quoi de venir au mariage de Francesco?

— Elle est folle d'amour, fit tristement Josette.

Et elle se mit à pleurer de cette tragédie moderne, banalement survenue au Village gai, entre une modeste coiffeuse et un poétique boulanger.

93

Un qui n'avait pas eu de difficulté à reconnaître tout de suite Gabrielle, même en noir de la robe aux cheveux, et malgré les sombres lunettes qui cachaient ses beaux yeux, c'était Francesco.

Son sourire niais (pour la récupération tardive de l'anneau de mariage) se transforma en une grimace quasi douloureuse.

Angela, elle, ne fut pas sûre tout de suite de l'identité de la femme en noir.

Après tout, elle n'avait vu Gabrielle qu'une seule fois, à la boulangerie, seulement quelques secondes, et en blonde.

Mais quand elle eut vérifié sa terrible appréhension dans l'air atterré de son mari, elle laissa tomber entre ses dents :

— Qu'est-ce qu'elle fait ici, la *bitch* ?

Francesco préféra ne pas répondre. Il ne regardait plus en direction de Gabrielle, tandis que le prêtre, qui avait évidemment entendu la remarque, le regardait, lui, et cherchait à comprendre ce qui se passait.

— Si vous voulez bien, suggéra-t-il avec un sourire complaisant, maintenant que nous avons l'anneau, nous allons procéder.

— S'il vous plaît, approuva sèchement Angela, qui tendit la main gauche et s'efforça de sourire.

Ne voulant pas causer un esclandre malgré la présence de Gabrielle, et même si son cœur, déjà mal en point, était en miettes, et qu'il se demandait lui aussi ce que la jeune coiffeuse pouvait bien faire là, Francesco ne protesta pas.

Pourtant, il y eut encore un petit délai avant que le prêtre unisse pour la vie la destinée des deux époux.

C'est que, dans sa nervosité décuplée par la présence de la femme qu'il aimait — et elle ne se trouvait pas à son côté ! — Francesco échappa l'anneau.

Ce qui lui valut de nouveaux rires, et de nouveaux applaudissements quand il le retrouva : il avait roulé aux pieds du curé, qui était ravi d'être frôlé par cet Apollon pour qui il aurait tout abandonné, vocation comprise.

Il émit d'ailleurs un gloussement de secrète volupté qui fut étouffé par les claquements de mains dans l'église.

Où Louisette, fine mouche comme toujours, se disait que, s'il multipliait ainsi les actes contraires, les maladresses, Francesco, de toute évidence, ne voulait pas se marier.

Si seulement Gabrielle, qu'elle avait tout de suite reconnue, cheveux et lunettes noirs ou pas, pouvait foncer vers l'autel et dire : « C'est moi qu'il aime, pas elle, cette chipie qui l'achète parce qu'il se sacrifie ! » le mariage serait annulé.

Et son beau Francesco serait encore un peu à elle.

Si peu que ce soit.

Elle croisa les doigts, esquissa un sourire triste. Son émotion la rendait belle ou, tout au moins, touchante.

Et elle se mit à pleurer lorsque Francesco passa enfin l'anneau au doigt d'Angela.

Dans l'allée, Gabrielle, immobile, se mit elle aussi à pleurer, mais ça ne se voyait pas facilement, vu ses lunettes fumées.

Angela se durcit et pensa qu'elle ne gafferait pas comme son nerveux de mari. L'anneau du marié, elle savait où le trouver : elle le serrait dans sa main droite, et personne n'aurait pu le lui arracher !

Elle le tendit vers la main tremblante — et toujours gantée — de Francesco.

Mais l'anneau refusait d'entrer dans l'annulaire du boulanger.

Francesco n'eut d'autre choix que de retirer son gant, et une expression de surprise et de dégoût léger déforma le visage parfaitement maquillé d'Angela.

94

C'est que, à force de prier Dieu, Francesco avait été exaucé. Le vrai, le vivace et le beau « demandez, vous recevrez, frappez, on vous ouvrira » opère toujours, aujourd'hui comme hier. Seulement, il prend parfois un peu plus de temps à se réaliser.

Car, modernes donc impatients, nous attendons ce cadeau trop tôt pour les lenteurs obligées de notre destin : nos mains sont encore prisonnières de nos errances passées.

Ou, parfois, on a déjà reçu le cadeau souhaité. Mais il est si subtil en son parement qu'on ne le voit pas.

Alors on crie à l'injustice, on accuse le ciel, contrairement aux sages, qui ne se plaignent jamais et sont heureux : programme difficile, essayez-le, si vous en doutez !

Oui, le long *miserere* du boulanger avait été entendu par Dieu, ou ses anges, vu ses innombrables corvées en cette époque agitée.

Sur le dessus de la main gauche de Francesco, il y avait une curieuse tache rouge, qui apparaissait d'ailleurs également dans sa paume : comme bien des saints d'une époque pas si lointaine, il avait été affligé d'un stigmate, sorte de trace mystérieuse des cinq plaies du Christ sur la croix.

En le voyant, Angela eut un petit mouvement de recul, tandis que le prêtre, malgré sa sainte érudition, ne vit là qu'une simple irritation, ne pensa pas que c'était la mystique reproduction de la trace laissée par le clou dans la main du plus célèbre crucifié de tous les temps.

La tache rouge n'arrêta pas la mariée. Elle passa sans attendre l'anneau au doigt de Francesco qui, au lieu de sourire comme tout marié qui se respecte — ou en tout cas, respecte sa femme ! —, ne put réprimer une sorte de grimace.

C'est que, au même moment, il éprouvait une douleur presque intolérable au cœur. Il pensa tout de suite : *Suis-je en train de faire une crise cardiaque comme petit père ? Suis-je puni de ma lâcheté sentimentale qui s'est commodément parée, pour me duper, du drap soyeux et rouge du sacrifice ?*

Sa grimace persistant, il porta sa main à sa poitrine, et dans l'église, les invités pensèrent qu'il voulait dire par là : je suis touché droit au cœur.

— Ça va, mon chéri ? s'inquiéta Angela.

— Oui, oui, la rassura-t-il en tentant de sourire, mais il n'était guère convaincant.

Au fond de l'église, Gabrielle aussi avait éprouvé, exactement au même moment, la même douleur au cœur.

Elle ne voulut pas l'augmenter et ne resta pas une seconde de plus, surtout lorsque le prêtre commença à dire, malgré l'expression inexplicable du marié : « Je vous déclare maintenant mari et femme, le marié peut embrasser la mariée. »

La petite coiffeuse de Dieu, rendue encore plus minuscule dans son chagrin infini, tourna les talons et quitta l'église.

95

Elle prit la route du couvent, au volant de la vieille Jaguar blanche, avec sa fidèle Juliette.

Elle adorait le Village gai, où tous les hommes se tiennent par la main et se font des câlins.

Elle adorait son travail au salon Michel Ange.

Josette, Paul, Carlo et ses clientes étaient devenus sa nouvelle famille.

Mais elle avait le cœur en miettes.

Et la nostalgie infinie de son ancienne vie au couvent, avec petite mère, la tendre et aimante sœur Thérèse, qu'elle avait négligée depuis plusieurs semaines.

Et le soin de ses roses dans le jardin de son autre mère : la Sainte Vierge.

En route vers le couvent, des souvenirs lui revenaient à profusion.

Elle se rappelait quand elle fendait du bois, à la hache, avec une vigueur peu commune pour une jeune femme, du bois pour réchauffer les pieds si facilement froids de sœur Thérèse…

Quand elle coupait les cheveux des novices…

Quand elle s'occupait amoureusement des roses dans le jardin de la Vierge, autour de sa statue bleue, blanche, or et rose à qui elle pouvait parler.

Elle se souvenait de la mystérieuse apparition de l'ange, qui lui avait annoncé sa mission…

Puis elle avait découvert le monde.

Il y a mieux.

Surtout si, de surcroît, on a un gros chagrin d'amour…

Sa mignonne Juliette s'était assise sur ses genoux, en fait s'était appuyée sur l'accoudoir du siège du conducteur, de manière à pouvoir humer l'air du dehors par la fenêtre.

C'était sa griserie préférée après celle des biscuits que lui donnait sa maîtresse, et des promenades dans le Village au bout de sa laisse ou sur son cœur, en récompense de sa bonne conduite ou simplement de son adorable minois, car, comme chacun sait depuis Cocteau : « Les privilèges de la beauté sont immenses. »

Fidèle à elle-même, à cinquante-trois kilomètres de vitesse, excédée par le vent, Juliette avait, résignée, repris sa place sur le siège du passager et attendait calmement la suite des événements.

Une petite heure plus tard, Gabrielle arrivait au couvent où une surprise l'attendait, c'est le moins qu'on pût dire.

Elle qui se mourait de revoir sœur Thérèse, elle la revit illico. En effet, à la porte du couvent, il y avait une rutilante Ferrari rouge.

Dans la racée mécanique italienne, se trouvait Armand Lenoux, grisonnant et beau dans son costume Armani, sa cravate milanaise, sa dégaine de play-boy prêt à accrocher ses patins, et à divorcer : il était visiblement amoureux fou.

Il attendait sœur Thérèse.

Qui ne le fit pas attendre.

Car il arrivait à peine, trente secondes avant Gabrielle, que déjà sœur Thérèse, apparaissait sur les marches du couvent centenaire, avec une petite valise à la main et dans une tenue surprenante.

Habituellement, même défroquée, une sœur a encore l'air d'une sœur. Même hors du couvent, sa tenue vestimentaire reste terne, sorte de succédané de l'habit religieux. Elle ne se maquille pas, ou juste du bout des doigts, si j'ose dire, comme si c'était une faute grave et qu'elle craignait d'être excommuniée.

Le cheveu est sans éclat et souvent gris, ou poivre et sel, car les défroquées, pour la plupart, renoncent à la teinture, qu'elles jugent trop profane, comme si une partie d'elles-mêmes était restée austère et que cette banale concession à la coquetterie était inadmissible.

Mais sœur Thérèse, elle, était vraiment défroquée.

En tout cas si l'on en jugeait par sa tenue vestimentaire et son maquillage, à la limite de l'outrancier. Mais elle avait du temps à rattraper, il fallait l'excuser !

Elle portait un corsage assez décolleté et un coquet soutien-gorge à balconnet qui disait tout. Qui disait : «Je t'aime, enfin tu es là, enfin on vivra ensemble, j'ai aussi mis une jupe fort courte, le contraire même de mon long amour pour toi, et j'ai chaussé pour te plaire des talons aiguilles. Comme tu aimes, mon amour.»

En la voyant, Armand Lenoux fut ravi.

Gabrielle, un peu moins.

En fait, ça lui fit drôle quand elle vit la tenue de sœur Thérèse qui, visiblement, quittait les ordres.

Et donc le couvent, où elle-même revenait, en grande partie pour elle.

Mais elle ne le dit pas.

Pour ne pas gâcher la joie du départ de sœur Thérèse. Surtout qu'elle partait, la belle grande amoureuse, avec cet homme qu'elle attendait depuis vingt ans et qui venait enfin la chercher.

Le cœur plein d'émotions contradictoires, Gabrielle laissa tomber sa valise et courut vers sœur Thérèse, qu'elle serra dans ses bras en prenant soin de ne pas écraser Juliette qu'elle portait sur sa poitrine, dans son porte-bébé lilliputien.

Après une étreinte que Gabrielle abrégea bien malgré elle, pour épargner Juliette, les deux femmes se regardèrent longtemps dans les yeux en se tenant les mains.

Ce spectacle ne manqua pas de toucher Armand Lenoux, descendu de sa Ferrari, et qui du reste trouvait plutôt sympathique — et étonnante — la tenue pour laquelle avait opté sœur Thérèse.

Qu'il n'avait d'ailleurs jamais appelée sœur Thérèse.

Et ce n'était pas ce jour-là qu'il commencerait !

Surtout avec la minijupe affriolante qui montrait ses jambes, rendues encore plus magnifiques par la hauteur de ses talons.

Elle lui donna de l'émotion, à Armand, cette jupe, boîte de Pandore de tous les souvenirs de leurs nuits, qui avaient été surtout des après-midi.

Sur le parvis du couvent, la Mère supérieure parut, en compagnie d'une autre sœur, plus jeune, et elle observait avec angoisse ce départ, qui donnerait peut-être des idées à d'autres.

— C'est elle, Juliette ? s'enquit sœur Thérèse. Elle est encore plus belle que ce que tu m'avais dit.

Elle la flatta, et Juliette se laissa faire.

Puis il y eut un silence.

Un peu lourd.

Un peu triste.

Parce que les deux femmes comprenaient ce qui se passait. Pourtant Gabrielle ne put résister à l'envie de demander, même si c'était évident, comme pour en avoir la désolante confirmation :

— Petite mère, vous... vous partez ?

— Oui, je... Armand divorce, il veut qu'on se marie. Et toi, tu...

Elle jeta un coup d'œil à sa valise abandonnée quelques pas derrière elle.

— Oui, je... Francesco, il a...

Elle ne dit pas quoi.

Mais comme c'était un homme, sœur Thérèse avait deviné.

Avec les hommes, les motifs de déception se ressemblaient, *anyway*. À une ou deux variantes près.

Mais parfois le grand amour...

— Je suis contente pour vous, petite mère.

Petite mère, la grande amoureuse qui carburait juste à l'amour fou.

Le reste, elle s'en moquait.

Pas bête, comme philosophie du bonheur!

Car à force de consentir aux compromis, on meurt sans avoir jamais vraiment vécu : ça fait une vie perdue.

Les deux femmes comprirent, sans devoir en deviser indéfiniment, les caprices inexplicables du destin.

Gabrielle arrivait pour retrouver sœur Thérèse.

Sœur Thérèse partait pour retrouver l'homme de sa vie.

Gabrielle fut élégante, comme sœur Thérèse l'avait été lorsqu'elle était partie.

Elle sourit, feignit de se réjouir, proposa même, avec une joyeuse légèreté : « On se texte et on lunche! »

Petite mère dit : « Oui ».

Elle serra à nouveau Gabrielle dans ses bras, prit sa valise et courut vers Armand Lenoux.

— Je peux conduire? lui demanda-t-elle.

— Tu sais conduire une manuelle? s'informa-t-il nerveusement et pas absolument sûr qu'il voulait laisser Thérèse au volant de sa nouvelle Ferrari.

— C'est comme ça que j'ai appris! À seize ans. Avec mon père qui conduisait un cinquante-trois pieds avec dix-huit vitesses.

— Oh! je vois! Tu ne m'avais jamais dit ça, fit Armand Lenoux. Encore anxieux, malgré ces assurances supplémentaires, il lui lança cavalièrement son trousseau de clés, qu'elle attrapa sans difficulté avant de sauter dans la Ferrari et de prendre le volant en cuir. Véritable, comme leur amour.

— Vous avez de la classe! fit Gabrielle, qui s'était avancée vers le bolide.

— Dans une Ferrari, tout le monde a de la classe! répliqua finement l'ex-sœur.

Elle caressa Juliette, pour laquelle elle avait véritablement eu un coup de cœur, et tenta:

— Est-ce que je peux la prendre avec moi pour quelques jours?

— Oui, accepta Gabrielle après une hésitation.

Et elle tendit Juliette qui, au début, parut inquiète, mais se laissa faire: elle aimait visiblement Thérèse.

Qui, comme elle devait conduire, la remit à Armand.

Qui n'avait jamais aimé follement les chiens.

Mais, élégant — et amoureux! —, il se força à sourire et fit mine de prendre plaisir à la flatter.

Le regard triste, Thérèse dit à Gabrielle:

— Je t'aime.

— Moi aussi, je vous aime! répliqua Gabrielle.

— Je t'appelle ce soir.

— Si vous avez le temps.

— Je l'aurai toujours pour toi, mon enfant. Toujours.

Et il fallut qu'elle se détournât pour que la jeune coiffeuse ne vît pas les larmes qui inondaient ses yeux.

Elle trouva pourtant le courage de saluer la Mère supérieure, de même que la jeune sœur qui l'accompagnait et ne comprenait pas trop ce qui se passait.

Puis elle démarra la Ferrari.

Et partit.

Vers la nouvelle vie dont elle rêvait depuis vingt ans.

Avec l'homme de sa vie.

Il était temps!

Mais elle rata son premier changement de vitesse, et il y eut un grincement dans le moteur si parfait et si peu habitué à semblable traitement.

Embarrassée, Thérèse se tourna vers Armand et lui sourit, cependant que Juliette, affolée, urinait sur ses genoux! Armand fit comme si de rien n'était, puis sourit à son tour, comme un prince au-dessus de tout, même si, intérieurement, il bouillait. La femme de sa vie était en train de bousiller la transmission de sa Ferrari et la petite chienne mouillait son pantalon Armani !

Heureusement, passé sa maladresse initiale, avant même d'arriver à la route 133, Thérèse roulait comme une pro du volant, comme si elle avait couru le Grand Prix de Monaco ou celui de Sao Paulo.

À telle enseigne qu'Armand dut placer ses mains sur la porte de la boîte à gants et tenta malgré tout de sourire, pour répondre aux éclats de rire de sœur Thérèse, trop grisée par la vitesse !

96

Gabrielle pleura pendant trois jours.

À la chorale du couvent, l'enfant qui était le chef des autres, et qui avait senti sa tristesse, comme quelques semaines plus tôt celle de sœur Thérèse, donna instruction aux autres enfants de lui chanter une variation tendre et sentimentale de l'*Ave Maria*, devenu *Ave Gabri-el-la*.

À la fin, les fillettes l'entourèrent comme pour lui dire : «On t'aime, on ne veut plus que tu pleures, même si tu dois avoir une bonne raison.»

Elle sourit, par gentillesse.

Mais cela ne suffit pas à la guérir de son incommensurable chagrin.

D'autant qu'elle se mit bientôt à vomir tous les matins, même si elle ne mangeait pour ainsi dire pas.

Un soir vers dix-neuf heures, elle téléphona à sœur Thérèse et lui expliqua sa situation.

Il y eut d'abord un long silence au bout de la ligne, comme si l'ex-sœur Thérèse craignait que l'histoire — plutôt horrible — qu'elle avait vécue ne se répétât.

— Est-ce que Francesco et toi, vous avez…

— Nous avons quoi ?

— Ben, tu sais : fait l'amour.

— Oui. Trois fois.

— Et est-ce qu'il portait quelque chose?

— Son eau de toilette *Acqua di Giò*, comme d'habitude.

— Non, je veux dire à part ça, pour se protéger, pour ne pas que tu tombes…

— Enceinte?

— Oui, hélas! ça ressemble à ça, tes symptômes, ma pauvre Gabrielle. Va à la pharmacie du coin et achète-toi un test de grossesse.

Une heure plus tard, Gabrielle, catastrophée, savait qu'elle était enceinte des œuvres de Francesco, l'homme de sa vie qui venait d'épouser une autre femme.

Il était vingt heures sept quand elle l'apprit.

Tout de suite, en larmes, elle se réfugia au jardin pour demander conseil à Mère, car sa détresse était immense.

La lumière était belle, car le soleil se couchait déjà.

Au même moment, un moine à capuchon frappa à la porte du couvent.

Il était très beau, très blond.

Mais il y avait dans ses yeux un éclat maléfique.

FIN
DU TOME PREMIER

NOTE DE L'AUTEUR

Le lecteur pourra lire la suite de cette histoire dans *Le retour de la coiffeuse de Dieu*, bientôt disponible dans toutes les bonnes librairies, si Dieu me prête vie.

MARC FISHER

Pourquoi l'alambic obscur de nos ambitions littéraires distille-t-il tel alcool plutôt que tel autre ?

Il y a quelques années, las du personnage du Millionnaire, mais en gardant tout de même quelque nostalgie, je m'étais dit : Pourquoi ne pas inventer un « Millionnaire en jupon » qui parlerait non pas de succès, mais des « vraies » choses de la vie ?

Le projet en resta là, les vraies choses de la vie n'étant peut-être pas mon truc. Puis ma fille Julia refusa d'aller au cinéma avec moi, alléguant un simple mais assassin : « Voyons, papa ! »

Elle grandissait, et moi, je me sentais rapetisser. Mais ce que la vie nous enlève d'une main, elle nous le redonne d'une autre. Je pervertis la maxime, je sais. N'empêche, dans ma solitude nouvelle, j'imaginai la coiffeuse de Dieu.

On croit commodément que les personnages ont besoin du romancier pour vivre. Mais moi, j'avais besoin de ma petite coiffeuse pour survivre, besoin de sa pureté, de son innocence, de sa joie, de sa présence à chaque être, à chaque chose, et de son amour des roses, dans ce monde qui en est si cruellement dépourvu.

Je n'en dirai pas plus, sinon je serais forcé d'inventer, et ça, les romanciers n'aiment pas.

Même s'ils le font parfois pour leur Julia.

Marc Fisher

www.marcfisher.biz
🖪 marcfisher-Auteur
🔟 Marc Fisher
marc@marcfisher.biz

ACHEVÉ D'IMPRIMER EN AOÛT 2013
SUR DU PAPIER 100 % RECYCLÉ
SUR LES PRESSES DE L'IMPRIMERIE LEBONFON,
QUÉBEC, CANADA.